LE SINGE DE DIEU

MALAGAR

Collection dirigée par
Jacques Monférier

Cette collection accueille des textes
d'écrivains, chercheurs et universitaires
autour de François Mauriac et son temps.

MAURIAC, le Bloc-notes
Bernard Cocula

LE SINGE DE DIEU
Richard Griffiths

Cliché de couverture :
prêt du Centre François Mauriac de Malagar

Richard GRIFFITHS

LE SINGE DE DIEU

François Mauriac entre le "roman catholique"
et la littérature contemporaine, 1913-1930

L'ESPRIT DU TEMPS

Pour ma femme Patricia
et mes enfants
Dom, Hilly et Kate

*Le romancier est, de tous les hommes,
celui qui ressemble le plus à Dieu : il est
le singe de Dieu.*

(François MAURIAC, *le Roman*, 1928)

I

INTRODUCTION

Un romancier catholique, ou un romancier politique et engagé, doit essayer de communiquer, d'une manière ou d'une autre, un message ; sinon, il reste un romancier au modèle des autres, et son engagement religieux ou politique n'a pas d'importance. Pour les romanciers engagés du dix-neuvième siècle, il n'y avait pas de problème. Le Barrès de *Leurs Figures* pouvait écrire un roman où le narrateur, qui est visiblement l'auteur lui-même, prône ses propres opinions politiques, et construit un roman autour d'eux. Le "roman catholique" de la fin du dix-neuvième siècle et du commencement du vingtième se servait, lui aussi, d'un narrateur omniscient qui nous disait tout, y compris les desseins de Dieu. Mais au vingtième siècle, on considère ce narrateur omniscient comme suspect ; on pense que la psychologie humaine est quelque chose de beaucoup plus compliqué que les procédés du dix-neuvième siècle ne l'auraient laissé croire ; la réalité se libère des contraintes artificielles du roman "réaliste" à la Balzac, et l'ambiguïté règne en maîtresse absolue. D'où le dilemme du romancier engagé dans cette période, que cet engagement soit religieux ou politique.

Malcolm Scott constate dans son livre *The Struggle for the Soul of the French Novel* [1] que les romanciers Mauriac et Bernanos, dans leur lutte avec les contraintes d'une "littérature catholique", ont suivi une voie périlleuse où seule l'utilisation subtile de toutes les ressources des techniques narratives modernes pouvait les aider à maintenir leur équilibre. Il faut dire cependant que pour Mauriac la voie qui menait à une utilisation satisfaisante des techniques modernes au service d'une littérature catholique fut pleine d'hésitations. Au cours de sa carrière, il a beaucoup changé ses opinions et ses procédés d'écriture ; il semblait même, de temps en temps, rebrousser chemin, et revenir à des positions qu'il avait auparavant rejetées. En regardant son œuvre de près, cependant, on voit dans la première période jusqu'en 1927, malgré les hésitations et les contradictions, un développement évident vers une solution possible des deux grands problèmes qui l'obsédaient : d'une part, le conflit entre la logique artificielle du roman traditionnel et "l'indétermination et le mystère de la vie" [2], d'autre part le conflit entre le didactisme et la construction d'un roman qui satisfasse aux exigences de la littérature moderne.

Au cours de ce développement dans les années vingt, Mauriac subit une influence considérable de la littérature qui l'entourait – d'abord, l'influence du "roman catholique" tel qu'on l'écrivait dans l'avant-guerre immédiate ; ensuite, celle des auteurs profanes du premier quart du vingtième siècle. Dans cette étude, nous allons considérer les rapports de ces deux littératures avec l'œuvre de Mauriac pendant les années vingt ; on verra, peut-être avec surprise, que l'influence du "roman catholique" alla beaucoup plus loin que l'on ne l'aurait cru, et qu'il y a eu un retour aux procédés de ce genre peu de temps après que Mauriac les avait, de toute apparence, rejetés ; on verra, aussi, que certaines œuvres spécifiques de la littérature profane des années vingt eurent une influence énorme sur certains romans de Mauriac dans la même période.

Vers la fin des années vingt, après avoir produit trois chefs-d'œuvre dans sa "nouvelle manière", qui fut le résultat de tous ces développements, Mauriac revint brusquement en arrière ; et à partir de cette date, il essaya de résoudre d'une manière tout à fait différente les deux problèmes que nous avons déjà décrits. Ces nouvelles orientations formeront le sujet d'une étude ultérieure ; dans le cas présent, nous nous bornerons à étudier la première phase de l'œuvre de Mauriac, jusqu'en 1930.

La plupart de ceux qui ont écrit sur Mauriac jusqu'ici voient, derrière les changements qu'ils ont aperçus dans ses procédés littéraires, surtout des raisons biographiques ou religieuses. Bien sûr, la religion y joue un rôle considérable ; mais il y a des raisons littéraires qui, à mon avis, jouent un rôle beaucoup plus important ; et la religion a une importance presque uniquement liée à des problèmes littéraires. Dans son obsession de l'incompatibilité des procédés romanesques modernes et de la responsabilité d'un romancier catholique, Mauriac hésitait entre les techniques des deux sortes de roman – roman catholique, roman profane ; et il fut sensible aux opinions d'autres écrivains, et des écrivains en vue. Son incertitude quant à sa place dans la scène littéraire contemporaine, son désir d'obtenir l'approbation de ceux qu'il admirait, expliquent beaucoup de ses attitudes, tout au long de sa carrière.

Ceci est donc l'étude d'un aspect particulier de

l'œuvre de Mauriac, qui nous aide à comprendre un peu mieux l'itinéraire du romancier dans les années vingt.

Certaines parties de cette étude ont déjà été publiées, d'une manière moins unie, dans des articles parus entre 1984 et 1994 ; à l'époque, les responsables des revues m'ont donné la permission de me servir du contenu de ces articles si, comme je le souhaitais, je produisais ultérieurement une étude d'ensemble. Je remercie, donc, les *Cahiers François Mauriac* qui m'ont autorisé à utiliser des passages de « Du "roman catholique" traditionnel au roman mauriacien » (tome 11, 1984), de "Femmes imaginaires et femmes réelles, à travers les techniques narratives de Mauriac" (tome 13, 1986), et de "Radiguet, Mauriac, et l'inquiétude de l'adolescence" (tome 18, 1991) ; je remercie également les *Cahiers de Malagar* de la permission d'utiliser des parties de *La souffrance expiatoire dans les "romans catholiques" de Mauriac* (tome VI, 1992), et de *Intertextualité dans les romans de Mauriac : de l'attendu à l'inattendu* (tome VIII, 1994).

Je tiens surtout à remercier toutes les personnes, vivantes ou disparues, avec qui j'ai eu, au cours des années, des conversations fructueuses sur Mauriac, ou sur les autres auteurs qui tiennent un rôle dans cette étude : Jean-Louis Backès, Jean-Bertrand Barrère, Maurice Belval SJ, André Blanchet SJ, Robert Bolgar, Marie-Louise Bousquet, Marie-Françoise Canérot, Caroline Casseville, Georges Cattaui, Michel de Certeau SJ, Bernard Chochon, Bernard Cocula, Pie Duployé OP, Claude Escallier, John Flower, Maurice de Gandillac, Maurice Garçon, Toby Garfitt, André Germain, Pierre Glaudes, Henri Gouhier, Nicholas Hewitt, Yves Leroux, Gabriel

Marcel, Henri Massis, Jacques Monférier, Jean Mouton, Madge Mouton, Marie-Chantal Praicheux, Michel Raimond, Vital Rambaud, Malcolm Scott, André Séailles, Helena Shillony, Robert Speaight, Bernard Swift, André Thérive, Jean Touzot, et beaucoup d'autres, y compris trois de mes étudiants à King's College London, Marion Lea, Mary Neiland et James Kilgour.

II

LE ROMAN CATHOLIQUE

Mauriac commença sa carrière sous le signe du "roman catholique", un genre qui s'était développé entre le milieu du dix-neuvième siècle et la première guerre mondiale ; et, malgré tous ses efforts pour s'en échapper, l'influence de ce genre allait le marquer pendant toute sa carrière. Pour comprendre les premiers romans de Mauriac, et pour mesurer le changement énorme qui se produisit dans ses procédés de composition des années vingt, il faut d'abord examiner les caractéristiques du "roman catholique" telles qu'elles se présentaient dans l'immédiate avant-guerre.

Il serait fautif de fonder cet examen exclusivement sur les "grands romanciers" du genre : Barbey d'Aurevilly, Huysmans, Bloy. Comme d'autres écrivains remarquables que la critique littéraire a considérés comme appartenant à des mouvements littéraires particuliers – Mallarmé et Rimbaud pour "l'école symboliste", Flaubert pour le "mouvement réaliste" – ils échappent en grande partie aux généralisations. Bien que, dans chaque cas, leurs romans présentent quelques-uns des traits distinctifs du genre, ils ont une originalité et un caractère exceptionnels qui les met à part. De même que, pour examiner la "poésie symboliste", il faut étudier des poètes comme Gustave Kahn ou Francis Vielé-Griffin, de même pour examiner le "roman catholique" il faut se reporter à des romanciers maintenant presque complètement oubliés, comme Émile Baumann, Adolphe Retté, André Lafon, Louis Artus. C'est à travers leurs œuvres, avec tous leurs défauts et toutes leurs extravagances, que nous retrouverons le "roman catholique" tel qu'on le concevait, et tel qu'on le lisait, au commencement de ce siècle. Il ne faut pas oublier qu'un romancier comme Émile Baumann, par exemple, bénéficiait d'un nombre énorme de lecteurs, et que le grand public catholique dévorait goulûment les livres de ces auteurs qui nous semblent maintenant si désuets.

Commençons par examiner les techniques les plus importantes de ce "roman catholique". On peut distinguer trois sous-genres importants, pour lesquels il faut ici inventer des noms dont nous pourrons nous servir au cours de notre exploration du genre : a) le "roman d'une conversion", dont le prototype était l'*En route* (1895) de Huysmans ; b) le "roman miraculeux", ou le "roman mystique", dans lequel le cadre du roman réaliste servait de toile de fond pour des événements mystiques, souvent dans une atmosphère fiévreuse et passionnée (qui trouvait son origine lointaine dans le "romantisme catholique" de Barbey d'Aurevilly) où la sensualité et la foi se trouvaient en lutte ; c) le "roman pieux", qui comprenait une très riche sous-littérature, parmi laquelle existaient aussi des exemples d'une littérature plus estimable, par exemple les écrits de Francis Jammes. Dans ce sous-genre, des récits d'enfance jouaient un rôle considérable.

Dans tous les cas, le grand danger était celui de sombrer dans une sentimentalité et une "pieusarderie" telles qu'on les trouve dans la sous-littérature pieuse de l'époque, ou dans le didactisme et la volonté d'édification.

Dans le "roman miraculeux" l'accent est mis sur une interprétation particulièrement littérale de l'expérience mystique. Les prières et les souffrances de certains personnages ont une influence sur les événements du roman, et cette influence est décrite d'une manière presque mécanique. Dieu intervient d'une façon évidente dans les affaires de l'humanité. Le narrateur est non seulement un narrateur omniscient à la manière du dix-neuvième siècle, qui peut voir tout ce qui se passe dans l'esprit de tous ses personnages, mais il est capable aussi de discerner clairement tout ce qui se passe dans l'esprit de *Dieu*, et de nous indiquer d'une manière certaine ses desseins.

Parmi les techniques, l'utilisation de la souffrance expiatoire prend une place centrale. Et, de la manière dont on s'en sert, il faut la considérer plutôt comme une technique littéraire, et non principalement comme une doctrine religieuse, bien que la prédominance d'une forme exagérée de cette doctrine dans la spiritualité catholique de l'époque ait beaucoup aidé à l'installer d'une manière aussi centrale dans le roman catholique [1]. Dans les romans de Léon Bloy, d'Émile Baumann, d'Adolphe Retté, d'André Lafon, des personnages centraux peuvent assumer la souffrance pour expier les fautes des autres, ou même pour prendre en charge leur douleur. Une autre tendance consiste à mettre à l'arrière-plan quelqu'un qui a assumé la souffrance soit pour l'humanité en général, soit pour le salut d'un des personnages principaux du roman.

Il faut insister sur le fait que l'action de ces romans se déroule dans un cadre strictement réaliste.

L'action surnaturelle se produit en parallèle avec ce monde réaliste, et les manifestations du surnaturel sont concrètes et tangibles. En cela le roman catholique reflète les attitudes catholiques contemporaines en ce qui concerne le mysticisme : surtout, leur tendance à réduire le mysticisme à des manifestations extérieures, à un ensemble d'effets automatiques découlant de formules d'invocation. Le "naturalisme spiritualiste" dont parlait Huysmans dans le premier chapitre de son roman *Là-bas* (1891) restait la caractéristique la plus importante du roman catholique.

Dans la plupart des romans catholiques (et du théâtre catholique) de l'avant-guerre ces traits reparaissent avec une insistance remarquable. Le cas type est Émile Baumann. Son roman *L'Immolé* (1908) démontre par son titre même l'importance du thème de la souffrance expiatoire. Son héros, Daniel Rovère, se voue à l'expiation, d'abord pour sauver l'âme de son père, qui s'est suicidé, et ensuite pour sauver son âme à lui, et celle d'une jeune fille, qui sont en danger de damnation à cause des péchés de luxure qu'ils ont commis (le héros découvre avec horreur qu'il a fait l'amour avec l'ancienne maîtresse de son père). Le roman raconte cette vie abreuvée de souffrances et d'humiliations ; mais il est baigné, aussi, d'une atmosphère de sensualité, rehaussée par l'influence nocive mais séduisante de la musique de Schumann et de Wagner ; cette sensualité est la contrepartie de la souffrance aiguë qui essaie d'en réparer les effets. Plus tard, Baumann allait tenter d'excuser cet aspect de son œuvre d'une manière qui nous est familière :

« Si l'on prétendait interdire au romancier catholique l'image vraie des passions, c'est qu'on voudrait faire de lui un artiste diminué, inapte à peindre tel qu'il est l'homme pécheur ; ou le roman catholique est impossible, ou il doit admettre des libertés nécessaires. » [2]

Cette excuse de Baumann, cependant, n'a pas autant de poids que les *apologiae* ultérieures de Mauriac ; le monde sensuel de Baumann n'est pas réel, n'est pas "l'image vraie des passions" ; il contient plutôt une surdose de romantisme de "serre chaude", telle qu'on le trouve dans les romans de Barbey d'Aurevilly, et qui est ici poussé à l'excès.

La mère de Daniel, elle aussi, est une "expiatrice". Elle est en train de mourir de tuberculose osseuse, en réparation des péchés de sa famille. Elle a cru, après une application d'eau de Lourdes, à une guérison ; mais sa maladie reparaît. Enfin, comme une vraie "compatiente", elle déclare qu'elle veut aller à Lourdes, remercier la Vierge de lui avoir rendu sa souffrance, don plus précieux que la guérison :

« Tu pensais, mon enfant, qu'il vaut mieux agir que souffrir. Eh bien ! non, vois-tu ? Pour moi, il n'y a rien de meilleur que de m'immoler. Je porte en moi les douleurs et les péchés de trop d'âmes, je souffrirai bien peu pour les expier. » [3]

Dans *La Fosse aux lions* (1911) nous retrouvons à l'arrière-plan, bien qu'il ne paraisse pas physiquement dans le roman, le même Daniel Rovère qui fut le héros de *L'Immolé*, mourant de tuberculose au fond d'un monastère espagnol. Il est nettement suggéré que sa souffrance a une influence sur l'action du roman. Et au premier plan il y a, dans le Bas-Poitou, une ambiance authentiquement aurevillienne, pleine de passion, de démence, et même, à côté des éléments catholiques, de sorcellerie. Il y a, dès le commencement, une atmosphère très sombre. Le jeune Philippe de Bradieu évoque la façon dont sa mère, avant sa mort, s'est vouée elle-même *et a voué ses enfants* à l'expiation des péchés innombrables de la France et du monde :

« Philippe se souvenait de confidences presque terribles : le soir d'un Vendredi saint, se représentant les désastres infinis de l'Église, l'Amour et la Justice bafoués par une France impénitente, n'avait-elle pas voué en réparation sa propre vie, celle même de ses enfants ? Sa fille Claire était une première victime acceptée, exultante d'ailleurs et parfaite. Quant à elle, le Maître venait de la prendre à la façon d'un voleur ; elle n'aurait pu implorer de lui une mort plus expiatoire, et la plus indigne des mécréantes ne pouvait guère être plus durement traitée, puisqu'elle était partie sans Viatique, sans entendre la voix du prêtre qui lui fit des Onctions. Philippe sentait obscurément se prolonger sur lui-même et sur les siens une prédestination d'holocaustes non encore accomplis. Il ne les repoussait point, soumis devant l'inconnu des Béatitudes sanglantes. »[4]

Le roman, à partir de ce moment, est chargé des souffrances attendues.

Dans les romans de Baumann, la lutte entre la sensualité et la pureté, entre la chair et l'âme, est très importante. Dans leurs excès, ces romans représentent une des tendances les plus exagérées du "roman mystique". Il ne faut pas oublier, néanmoins, que Baumann fut probablement le romancier catholique le plus lu dans la période où Mauriac commença à écrire.

Chez la plupart des autres romanciers catholiques (comme chez l'auteur dramatique Claudel, ou le poète Péguy), le thème de la souffrance expiatoire est traité d'une manière beaucoup moins exagérée, mais il reste néanmoins très important. Pour quelques-uns, comme Adolphe Retté, cette doctrine peut apparaître comme un détail secondaire. Dans *Le Règne de la*

Bête (1908), un jeune ex-anarchiste converti prie pour son ancien collègue, l'anarchiste Charles Mandrillat. Chériat est sur le point de mourir, et voudrait empêcher un attentat :

« Mon Dieu, prenez-moi en rançon pour l'âme de cet infortuné ; ne permettez pas que cette chose affreuse s'accomplisse. »[5]

Et, bien sûr, la chose affreuse ne s'accomplit pas : Charles, au lieu de faire sauter les fidèles à l'intérieur de Notre-Dame, se fait sauter lui-même, parce que la porte de la cathédrale se ferme sur lui et sur sa bombe (c'est la transposition d'un fait réel qui s'était passé à la Madeleine). Bien qu'il semble que la question du rachat de l'âme de Charles ait disparu de ses soucis, l'auteur souligne néanmoins le caractère miraculeux de l'événement :

« Ainsi, par un évident miracle de la Justice divine le meurtre s'était retourné contre celui qui appelait le meurtre sur autrui. »[6]

Une telle affirmation est une technique typique de nos romanciers catholiques, qui soulignent d'une manière très évidente les intentions du Seigneur, et qui ne laissent aucun doute ni aucune ambiguïté subsister à cet égard.

Parmi les "romans mystiques" qui se servent de la souffrance expiatoire d'une manière centrale, un des plus intéressants est *La Maison sur la rive* (1914), par l'ami intime de Mauriac, André Lafon. Ce roman suggère l'idée qu'une société peut être rachetée par une communion d'expiation. Malheureusement, bien qu'il évite les excès de Baumann, Lafon échoue sur un autre danger du roman catholique : la sentimentalité. Le message est transmis dans un style hypersentimental qui en masque la force. La jeune héroïne confie à son journal qu'elle veut renoncer à son amour, et épouser un homme qu'elle n'aime pas, pour le rachat du monde qui l'entoure (réminiscence de *L'Annonce faite à Marie*, de Claudel – mais aussi de *La Porte étroite*, de Gide). Ce sacrifice est souligné par l'influence d'une sainte femme que nous ne voyons pas, mais qui reste à l'arrière-plan : Mathilde Cazade, qui souffre pour les péchés de son époque, et dont l'influence spirituelle est partout évidente.

Si le "roman mystique" pèche par ses excès, et s'il nous paraît imparfait, et même grotesque, les autres romans catholiques de l'époque sombrent trop souvent dans la sentimentalité et dans une rhétorique didactique. Il y a, cependant, un autre sous-genre qui contient au moins deux romans qu'on pourrait qualifier de "chefs-d'œuvre" : c'est le "roman d'une conversion", dont le premier exemple, l'*En route* (1895) de Huysmans, eut un succès énorme. Dans ce roman remarquable et véridique l'auteur se sert de tous les procédés littéraires et stylistiques qui avaient marqué ses romans profanes, et réussit à nous donner un portrait vivant et parfois déroutant de la bataille entre l'esprit et la chair chez un homme qui s'approche incertainement de la conversion.

La plus grande "histoire d'une conversion", après celle de Huysmans, parut en 1915, après la mort de son auteur au champ d'honneur lors des premières batailles de la Grande Guerre ; ce fut *Le Voyage du Centurion*, d'Ernest Psichari, qui décrivait la conversion d'un officier français dans les déserts d'Afrique du Nord. L'histoire pourrait sembler un écrit autobiographique ; mais à propos de ce livre, l'auteur, écrivant à un prêtre ami, protesta qu'une telle interprétation était fausse :

« C'est l'histoire d'une conversion opérée dans le silence des déserts d'Afrique, mais je m'empresse d'ajouter que cette conversion n'est pas *ma* conversion. Dieu me garde de verser dans les détestables excès de la psychologie, dans cet abus de l'observation intérieure, dans cette véritable complaisance de soi-même qui caractérise les écrivains modernes.

Si l'on considère la littérature actuelle, on y voit partout ce petit esprit qui, au lieu d'aller à la grande et sereine vérité, s'attarde aux imperfections de l'âme humaine, s'y complaît presque, et qui, à la fin, ne se résout à aborder notre sainte religion que par les caractères les plus extérieurs. »[7]

Ce roman, où Psichari résume l'expérience non seulement de lui-même, mais aussi de plusieurs de ses contemporains dans l'armée d'Afrique[8], est une œuvre d'art très émouvante, qui nous trempe dans l'atmosphère mystique de l'Islam nord-africain, et montre son effet sur des militaires provenant d'une France laïque et en grande partie anti-cléricale. (Psichari lui-même, petit-fils d'Ernest Renan, fut élevé, comme son ami Jacques Maritain, dans un milieu républicain et farouchement laïque).

Par des phrases comme "les détestables excès de la psychologie", "cette véritable complaisance de soi-même qui caractérise les écrivains modernes", Psichari distingue ses propres romans de la littérature profane de son époque, de Barrès à Gide. Il vise, aussi, son prédécesseur Huysmans, qui, à son avis, avait transposé les techniques et les attitudes de sa production profane dans sa littérature catholique, au lieu de produire "ces belles analyses dont notre temps a besoin, de l'âme chrétienne, de la sainteté, de la communion des saints"[9].

Pour Psichari, donc, la littérature catholique doit être avant tout didactique. Voici, avec la sentimentalité, la caractéristique la plus importante du "roman catholique" d'avant-guerre. Didactisme et senti-mentalité étaient le fond sur lequel l'auteur catholique produisait un monde qui ne différait pas fondamen-talement de celui du roman réaliste du dix-neuvième siècle. Là où une action surnaturelle apparaissait, elle côtoyait la vie ordinaire, et toutes deux étaient décrites avec les techniques du roman traditionnel à la Balzac : narrateur omniscient, action claire et non équivoque, "ordonnancement" de la réalité, person-nages dont les mobiles d'action sont bien définis.

Quelle place un tel genre pouvait-il avoir dans le vingtième siècle, où, dans le domaine du roman, l'ambiguïté et le refus de l'omniscience du narrateur sont si importants ? La plupart des romanciers catho-liques de l'entre-deux-guerres, en France et en Grande-Bretagne, allaient se révolter à différents degrés contre cette tradition, y compris Mauriac. Néanmoins, le jeune Mauriac, au commencement de son œuvre, fut, avant d'essayer de le rejeter, un adhé-rent de ce genre, comme nous le verrons dans le pro-chain chapitre ; et des traces du "roman catholique" peuvent être repérées même à la fin de sa carrière de romancier.

III

LES PREMIERS ROMANS
DE MAURIAC

Si, dans ses premiers romans, Mauriac réussit à éviter la plupart des excès des "romans catholiques" mineurs que nous avons vus dans le précédent chapitre, il n'en reste pas moins que sa parenté avec ce genre fut étroite. Par ses procédés de romancier il s'inscrivait dans cette tradition. Même plus tard, lorsqu'il annonça son désir de secouer la poussière des vieux procédés, et d'écrire ses romans d'une nouvelle manière, Mauriac témoignait toujours une sympathie à l'égard de ses devanciers, les romanciers catholiques traditionnels. Dans un interview de 1923 il nous disait ainsi : « On n'est pas assez indulgent pour les romanciers catholiques pris entre la vérité humaine et le devoir de faire le bien. Il y aurait, de ce point de vue, une étude à leur consacrer : à René Bazin, pour lequel notre génération est fort injuste et pour qui j'éprouve une grande admiration, à Émile Baumann, et surtout à Louis Artus, à qui j'ai dédié *Le Baiser au lépreux* et dont l'œuvre est intéressante à étudier parce qu'il cherche justement à échapper à ce dilemme. »[1]

On peut classer comme "les premiers romans de Mauriac" quatre livres parus en librairie entre 1913 et 1921 : *L'Enfant chargé de chaînes* (feuilleton 1912, livre 1913), *La Robe prétexte* (1914), *La Chair et le Sang* (feuilleton 1919, livre 1920), et *Préséances* (*Préséances* 1919, *Les Nouvelles Préséances* 1920, version complète 1921). On peut y ajouter les nouvelles *Le Visiteur nocturne* (1920) et *La Paroisse morte* (1921).

L'Enfant chargé de chaînes ne semble pas, de prime abord, appartenir en entier à notre étude. Bien que le héros en soit catholique, et, par certains traits, un parent du héros de *La Robe prétexte*, et bien qu'il y ait dans le roman des traces d'une piété à la Francis Jammes, cet essai autobiographique s'inscrit dans une lignée barrésienne plutôt que dans celle du roman catholique. Pour citer Jacques Petit :

« En ces années 1910-1912, l'influence de Barrès est encore trop proche, trop directe pour que ce premier roman n'en porte pas la trace. Le style, les procédés romanesques, la conception même du roman révèlent ce que Mauriac appellera plus tard une "intoxication barrésienne" ; les longs monologues intérieurs où une analyse un peu sèche se mêle à l'effusion, les dialogues intérieurs, la manière de peindre les personnages, le perpétuel retour sur soi du héros qui vit moins qu'il ne se regarde vivre, attentif d'abord à saisir dans ses actes son propre moi, autant de traits dont l'origine est évidente. »[2]

L'influence barrésienne apparaît d'une manière tout aussi marquée dans le fragment d'un roman, *Les Beaux-esprits de ce temps*, écrit entre 1914 et 1918, dont trente pages seulement furent publiées en 1926 chez Champion. Ces pages nous révèlent un roman sur le modèle d'*Un Homme libre* : débats, promenades, dans une retraite campagnarde, et de longs échanges sur le rapport des œuvres et des doctrines.

La religion est néanmoins présente dans *L'Enfant chargé de chaînes*, et elle y joue un rôle assez important.

Comme le jeune Mauriac écrivait dans un projet de préface, adressé à François Le Grix :

« Jean-Paul, s'il n'avait le goût de la prière, quelque familiarité avec Dieu, ne vous ennuierait-il pas plus encore ? Dans ce temps de sécheresse que je peins, ceux qui ne s'embarrassent pas de scrupules religieux ont coutume de se contenter avec des sensations, de bas plaisirs. Chez Jean-Paul, la foi le condamne à n'y point céder sans lutte – et quand il succombe, à n'y rien trouver qu'un goût de cendre, la tentation de mourir. Elle l'oblige enfin à lutter contre cet état de tiédeur, à tenter un effort pour aimer les autres hommes. »[3]

Malcolm Scott attire notre attention[4] sur ce fait que, même dans *L'Enfant chargé de chaînes*, quand le romancier parle de la relation entre l'homme et Dieu, il commente les actions de Dieu d'une manière qui fait de Dieu un des personnages du roman. Il faut ajouter, aussi, que le ton dans lequel ces situations sont décrites est d'une "pieusarderie" sentimentale, typique du "roman catholique" d'avant-guerre :

« Il y avait sur la table une croix de métal. Par une habitude ancienne d'écolier, il ouvrit l'Évangile au hasard – et lut un passage sans aucun lien avec sa situation présente. A ce petit fait, il attacha une importance extraordinaire, et regardant la croix, le petit livre, il murmura : "Serait-ce une immense duperie ?"

Ce blasphème suscita dans son cœur une protestation passionnée. Il eut conscience qu'au moindre appel Celui qu'il trahissait à chaque minute de sa vie lui aurait ouvert les bras. Il fut tenté de s'agenouiller, de s'abandonner à l'Être Infini dont l'amour lui demeurait une certitude ineffable, plus forte que tous ses doutes et toutes ses négations.

Mais Jean-Paul souhaitait ne pas voir et ne pas entendre. Et parce qu'elle dédaignait d'être consolée, le Consolateur s'éloigna de cette âme qui ne voulait pas de miséricorde. »[5]

Ce ton pieux, qui n'apparaît que rarement dans ce roman, devient central dans *La Robe prétexte* (1914), roman à la première personne, où plusieurs autres aspects du roman catholique "pieux" sont présents : le ton didactique, "l'atmosphère catholique", une piété étouffante. Mauriac lui-même, plusieurs années plus tard, allait critiquer ce livre pour ces caractéristiques, et pointer un doigt accusateur vers le romancier catholique qui l'avait le plus influencé à l'époque :

« La mollesse de ce style, l'influence, pour ne pas dire l'imitation du Jammes de *Clara d'Ellébeuse*, bien d'autres défauts me le rendent aujourd'hui assez odieux. »[6]

Bien sûr, la tentation de la chair existe dans ce roman ; mais le héros la surmonte d'une manière très facile, et il n'y a aucune trace de lutte, car sa piété est sans tache. Il est le produit d'une famille pieuse ; ses réactions, face à la vie, trahissent cette influence à tous les moments. Son aspiration à la pureté fait partie de cette atmosphère. Son refus de la sensualité se manifeste parce que "dans ce décor odieusement délicieux, le mystère de la *vocation* se révélait à mon cœur et à ma pensée (...) je ne sais quelle présence invisible me défendait d'une plus passionnée étreinte"[7] :

« Contre le péché, Dieu m'avait armé d'abord de timidité, de dégoût, de scrupules religieux et familiaux. A l'instant de la chute, tous les dogmes, tous les commandements de Dieu étaient soudain promulgués au fond de mon être par une voix intérieure. »[8]

Dans ces deux romans de l'avant-guerre, les thèmes que nous avons rencontrés dans le "roman mystique" (miracles, souffrance expiatoire) n'apparaissent pas, excepté, sur un mode mineur, dans un

28

seul détail de *La Robe prétexte* : la mort soudaine de la grand-mère, qui délivre le héros de la tentation ("par sa mort même, grand-mère une dernière fois me délivrait du mal"[9]), thème qu'on retrouve sous différents aspects dans quelques romans ultérieurs de Mauriac.

Il est important de constater qu'à partir de la guerre, Mauriac abandonna les deux fils conducteurs de son roman d'avant-guerre – barrésianisme et pieusarderie – pour s'enfoncer dans ce que nous sommes convenus d'appeler le "roman mystique" ou le "roman miraculeux". Dans ce contexte, sa décision d'abandonner deux projets dans le ton de ses deux premiers romans est assez significative. Ces deux projets étaient *Les Beaux-esprits de ce temps* (projet qui fut peut-être achevé, mais dont il n'y a que trente pages qui subsistent), et un roman dont nous ne possédons que les quelques pages qui s'appellent *Le Retour en Gascogne*, publiées dans la *Revue hebdomadaire* en 1918.

Dans *La Chair et le Sang*, commencé en 1914 et publié enfin en 1920, nous nous trouvons plongés dans l'ambiance du "roman mystique" tel que nous l'avons vu chez Émile Baumann – un monde où la bataille entre la chair et l'âme est livrée sans relâche, et où le thème de la souffrance expiatoire prend une importance extrême. L'influence de *L'Immolé* lui-même se manifeste clairement dans ce roman et les réminiscences textuelles du livre de Baumann abondent.

Parmi ces réminiscences, la plus évidente est le lien qui s'établit entre la musique et la sensualité. Dans *La Chair et le Sang*, la "musique sauvage" du piano est décrite ainsi :

« Soudain un étrange accord éclate et, des volets mi-clos, une tumultueuse musique s'épand dans la lumière. Claude se redresse et, la tête renversée contre un tilleul, écoute passer cet orage. » [10]

Son expérience du séminaire, nous dit Mauriac, ne l'avait pas préparé "à cette musique sauvage". Plus tard, cette musique est comparée à un orage, et comme la voix "d'un océan invisible". Son effet sur Claude est de le "troubler". De même, dans *L'Immolé* de Baumann, une musique "sauvage", jouée sur le piano, remet un message sensuel à l'homme qui l'écoute (bien que, typiquement, Baumann le souligne d'une manière plus évidente et moins subtile) :

« Subitement, elle s'était mise au clavier et de même qu'elle eût empoigné à crû le dos d'un étalon, (...) elle s'emballa dans un motif sauvage. A sa main gauche grondait un trait continu, palpitation d'harmonies dissoutes, tandis que l'autre martelait par d'impérieux accords une phrase béante d'un amour irrassasiable (...) De cette heure, le démon des joies luxurieuses était maître de son vouloir. » [11]

Il y a une référence musicale qui mène encore plus directement à Baumann ; la référence à *La Mort d'Isolde* de Wagner. Quand May entre dans le salon où l'attend sa famille et les Castagnède, elle se joue intérieurement cette musique :

« Elle se joua en elle-même *La Mort d'Isolde* ; elle entendit les harpes, accueillit l'angoisse montante comme une marée du chant mortel et, de nouveau, la tempête intérieure renaissait, se gonflait, éclatait comme sous un vent fou et les cris du finale l'étouffèrent (...). »

Puis elle se met au piano et joue :

« Elle alla au piano, enleva les préludes que Firmin Pascaud avait déjà disposés sur le pupitre et prit dans le casier *La Mort d'Isolde* (...). Un accord s'épandit et l'on eut le sentiment qu'il emplissait la nuit, les espaces, et que ces vagues de douloureuse passion, se détruisant l'un l'autre, montaient jusqu'à l'indifférence des planètes. Elle demeura devant le clavier quand l'ouragan de son fut passé. » [12]

Dans *L'Immolé* de Baumann, *Tristan et Isolde* est mentionné à plusieurs reprises, et la description de la musique de *La Mort d'Isolde* et du *Prélude*, et de son effet sur ceux qui l'entendent, ressemble beaucoup à celle de Mauriac. Le thème de la parenté entre la douleur et la passion est évoqué, et même le vocabulaire des deux auteurs à cet égard est comparable, avec l'image de la musique qui "se gonfle", etc… :

« Je voulais vous jouer, dit-elle (…) quelque chose de mieux encore que le Schumann, la mort d'Yseult, dans *Tristan* (…). Elle alla vers le piano où était posée la partition de Tristan (…) » [13]

« Dès les premiers accords du piano, il tressaillit, il eut comme le contact d'une fleur au pistil énorme, se gonflant, inassouvi de fécondations. Bientôt, l'image se fondit en un sentiment plus indistinct (…). Était-ce de la douleur, était-ce de la jouissance qui voulait s'y incarner, ou de la douleur et de la jouissance confondues, l'appétit gémissant une jouissance sans terme et sans repos ? » [14]

Le fait que, chez May et Claude, leur amour se traduit aussi par la douce nostalgie de *L'Invitation au voyage* de Baudelaire et de Duparc, met en relief d'une manière encore plus saisissante l'étrangeté de ces parallèles wagnériens avec la sensualité violente du roman de Baumann.

Ces parallèles textuels sont, cependant, symptomatiques d'une influence beaucoup plus fondamentale du "roman mystique" d'avant-guerre sur Mauriac. Il y a, surtout, l'utilisation de la souffrance expiatoire comme gâchette qui déclenche l'action, et aussi

l'incursion d'une force surnaturelle qui fait du personnage de Claude une figure choisie pour mener
mystiquement les autres au salut. Dès le commencement du roman, Claude sent à plusieurs reprises cette
force mystérieuse :

« Doute-t-il que sur cette colline, la vie vienne le
chercher ? L'oreille tendue vers il ne sait quel appel,
Claude veut demeurer là, disponible... » [15]

« Il sent, il voit confusément que le calme de cette
fin d'après-midi, ces bœufs accablés qui rentrent une
dernière charge de sulfate, tous les symboles de la
sérénité le trompent peut-être et que son heure est
proche. » [16]

Quand le thème de la souffrance expiatoire paraît,
c'est, à première vue, d'une manière très simpliste.
Claude s'offre comme "bouc émissaire" pour
Edward, auquel le suicide semble le seul moyen
d'échapper au désespoir. Il se met instinctivement à
sa place ; il y a, ici aussi, l'impression d'une force qui
le pousse, qui parle pour lui :

« "Je ne saurais vous faire que du mal, et vous ne
pouvez rien pour moi.

- Si, monsieur, je peux souffrir pour vous."

L'ancien séminariste répondit cela, d'instinct.
Edward connaissait cette doctrine mystique de la
réversibilité. Il dit :

"Je ne vous souhaite pas, pauvre petit, de devenir mon bouc émissaire, ni d'être chargé de tous mes
crimes."

Claude s'étonna lui-même des mots qui, alors, lui
vinrent aux lèvres :

"Je les assumerai, si vous le voulez bien."

Il lui parut qu'un autre parlait à sa place. Edward
(...) saisit la main de Claude :

"J'accepte donc (...) » [17]

Jacques Petit, dans l'édition de la Pléiade, suggère que "ce pacte" aussi brutalement résumé fait intervenir sous une forme presque caricaturale un thème obsédant qui s'épanouira dans *Les Anges noirs* et dans *L'Agneau*[18]. Mais ceci, c'est mettre la charrue avant les bœufs. Comme nous le verrons, Mauriac, après la "conversion", retourne à des thèmes du "roman catholique", tel la souffrance expiatoire, mais d'une manière bien plus sophistiquée et plus subtile. Ce qu'on voit dans *La Chair et le Sang* n'est pas une "caricature" de quelque chose qui n'existait pas encore, mais l'utilisation toute naturelle d'une technique simpliste, typique du roman catholique de l'époque.

Petit suggère aussi, que "Mauriac n'impose pas cette lecture "religieuse", mais laisse au texte son ambiguïté", en communiquant le message religieux surtout par le "point de vue" de Claude, d'Edward et de May. Mais ces "points de vue" sont si évidemment des véhicules pour communiquer l'opinion de l'auteur, et possèdent si peu de l'ambiguïté dans l'utilisation de cette procédure qu'on trouvera plus tard dans la carrière de Mauriac, qu'il faut avouer que tout, dans *La Chair et le Sang*, nous mène inéluctablement à reconnaître le rôle central de ce thème, et que des interventions du narrateur omniscient nous dirigent déjà vers cette interprétation.

Bien que Claude chasse le souvenir de ce pacte, cela reste toujours à l'arrière-plan, comme une influence décisive sur l'action :

« Plus persuasive que ses raisonnements, une certitude était en lui qu'il était solidaire de cet homme, qu'il avait sa place marquée dans cette destinée. Un soir, par une atroce dérision, Edward avait voulu que Claude fût son bouc émissaire. Savons-nous jamais jusqu'où retentissent nos plus vaines paroles ? »[19]

33

Les deux personnages sont tous deux conscients de ce lien mystique. D'un côté, Edward voit dans Claude "un point fixe (qui) se détachait pour lui de la durée, un principe immuable, éternel, un arbre de salut au-dessus de l'étendue mouvante" [20], son "dernier refuge" [21], vers lequel "se fût réfugié ce cœur en panne" [22]. De l'autre, Claude pense à "cette âme dont il se savait inexplicablement chargé, dont il s'était porté le garant, qu'il retenait seul sur l'immense ténèbres de la perdition" [23]. Quand il reçoit la lettre d'Edward, il éprouve "un sentiment d'urgence, de nécessité" ; bien qu'il "voyait les difficultés d'une entreprise où son mysticisme l'allait jeter", il se décide à aller le sauver :

« Tout bien pesé, il lui parut que le mieux serait de se confier à cette Volonté toute-puissante comme un fétu à un grand vent. Il se recueillit donc, fit le silence au-dedans de lui avec cette habitude de l'oraison qu'il avait acquise au séminaire. Par un mouvement passionné de son être intérieur, il voulut se mettre en communication avec la Force et l'Amour extérieurs au monde et en qui il avait foi. » [24]

Une des causes de la souffrance de Claude, cette souffrance qui aidera à sauver Edward, réside dans le fait que May, la sœur d'Edward, qu'il aime, se décide à se marier sans amour. La séparation de l'être aimé, séparation qui mène à une souffrance efficace, est un lieu commun de la littérature catholique de l'époque, de Claudel à Lafon. Mauriac, distinguant derrière "la chair et le sang" des vérités éternelles, nous dirige, comme narrateur omniscient, vers cette interprétation :

« A cet obscur drame charnel, un autre s'ajoute qui le dépasse. » [25]

Mauriac ajoute, cependant, des éléments para-doxaux quant à la mission de Claude, car, manifestement, il est du dessein de Dieu que Claude arrive "trop tard" pour empêcher Edward de se suicider. Tout lui barre le passage, et Claude a l'impression qu'il doit nécessairement manquer le train, car "aucune puissance au monde ne l'empêcherait d'arriver trop tard". Quand il lui est enfin impossible d'arriver à temps, il dit : « Je vais bien maintenant. Il n'est plus nécessaire que je sois malade »[26].

Mais quand on regarde les choses de près, il n'y a nul paradoxe. Claude arrive à temps pour trouver Edward toujours vivant : « Je n'arrive pas trop tard : vous êtes vivant »[27]. Et l'influence de Claude fait qu'Edward se repentit à la dernière heure. Ses dernières paroles, après avoir récité le Paternoster, sont "La Foi nous sauve", et "Il y a quelqu'un..."[28]. Ce repentir est en partie causé par l'efficacité de la souffrance de Claude dans le passé ; mais il y a aussi une allusion très importante à la grande souffrance qui va venir : 1914, il y aura une hécatombe de jeunes gens sous peu :

« Claude, seul, essaya de prier. La glace de l'armoire et celle qui était au-dessus de la toilette multiplièrent la forme rigide étendue sur le lit : on eût dit qu'une hécatombe de jeunes hommes emplissait la chambre. Claude pensa à la vigne : on ferait du bon vin cette année et la récolte de 1914 vaudrait celle de 1911. »[29]

Il ne faut pas oublier que, dans une première version de *Le Mal*, écrite vers la même époque que *la Chair et le Sang*, un prêtre mobilisé dans le même régiment que Fabien lui propose le sacrifice de sa vie, dans la guerre, comme l'expiation de ses péchés. Ce thème, transposé en souffrance expiatoire pour les péchés de la France, est un lieu commun de la littérature catholique de l'époque ; il est le sujet central du

Sens de la Mort (1915) de Paul Bourget ("roman catholique" à succès), et de beaucoup d'autres livres pieux. Pour le lecteur catholique, la fin de *La Chair et le Sang* renvoie clairement à la réversibilité de même que la souffrance future de Claude apparaît comme une partie de la "récolte" de 1914.

Au centre du roman il y a encore un thème important qui se rattache à l'influence de Claude et de ses souffrances. May s'est mariée sans amour, par renoncement ; elle était protestante, et à cause de ce mariage elle se convertit au catholicisme. Elle se rend compte de la vérité catholique, et voit Claude comme le grand inspirateur de sa conversion, à travers les souffrances de la chair refoulée. Elle écrit dans son journal :

« Certitude que toute grâce par lui m'est venue. Bien que je l'aie connu en proie à la tentation, esclave de sa jeunesse. Sans doute portait-il en lui infiniment plus que lui-même. Obsédé par son désir triste, asservi à la chair et au sang, il a cru me communiquer sa fièvre, et, à son insu, m'a donné Dieu. De sa seule présence la grâce émanait, comme d'une lampe la lumière. A travers son charnel désir, elle s'épandait et, tout de même, je l'ai reçue. [30]

Quant à vous, Claude, (...) je vous sais entre des mains toutes-puissantes. Je ne suis pas en peine de votre salut, enfant choisi, vase d'élection, vous en qui le Maître a mis toutes ses complaisances ; moi-même, ne fus-je sauvée par vous ? Oui, tandis que nos jeunesses, l'une l'autre charnellement s'émouvaient, sur un autre plan, vous m'entrouvriez les portes du jardin, vous me précédiez dans le Royaume. » [31]

Malgré toutes ces caractéristiques un peu trop évidentes du "roman mystique" à la manière d'Émile Baumann, il faut constater que *La Chair et le Sang* représente des progrès chez Mauriac en ce qui concerne les techniques romanesques, par comparaison avec les deux romans d'avant-guerre.

En se tournant vers le "roman mystique", et abandonnant le "roman pieux", Mauriac risquait de choquer son public catholique et bien-pensant ; comme chez Baumann, la peinture des passions éveillait de l'inquiétude chez un tel public. Il l'écrivait, dans une lettre au directeur général des éditions Grasset :

« J'ai un très grand public catholique qu'a beaucoup déconcerté *La Chair et le Sang*. »

Mais cette nouvelle espèce de roman avait apparemment attiré toute une nouvelle clientèle :

« Or *La Chair et le Sang*, paru il y a deux mois chez Émile-Paul, en est à sa neuvième édition depuis hier. » [32]

La première version de *Préséances*, écrite en 1918 et publiée en 1919, et la première version des *Nouvelles Préséances*, publiée en 1920, semblent au premier abord avoir une place à part dans la production de Mauriac à cette époque, en ce qu'elles paraissent surtout être une étude satirique des mœurs bourgeoises de la société bordelaise. Mais, déjà, le personnage Augustin (inspiré par Rimbaud), l'enfant sur qui pèse un destin mystérieux, est d'une importance extrême. Cet être libre est un nouveau contraste avec le goût des préséances, de la réussite mondaine, qui marque la société bordelaise et en particulier le narrateur et sa sœur. Mais bien que, dans le passé d'Augustin, nous apercevions son père, l'apostat, ce "gibier forcé par la grâce", qui, "crucifié, réduit à la plus grande misère, (...) souffre à la Trappe" [33], la richesse possible de ce thème par rapport à la souffrance expiatoire n'est pas, en 1919, exploré.

Mais, si Augustin lui-même est inspiré par Rimbaud, c'est par un Rimbaud tel que Claudel l'avait imaginé dans sa Préface aux *Poésies* (1912) : le "mystique à l'état sauvage". Plusieurs détails nous suggèrent ce rôle. Il dort, par exemple, "pareil à un ange terrassé"[34] ; et, parmi des souvenirs de Baumann[35], il est décrit ainsi : "A ses pieds, l'immolé dormait comme un mort"[36]. Augustin révèle au narrateur "des régions vierges, des perspectives inconnues de candeur, de sacrifice"[37].

Pour l'édition du roman complet, en 1921, Mauriac ajoute plusieurs passages, et des chapitres entiers dans la deuxième partie, qui modifient le sens de l'intrigue. Non seulement le narrateur devient moins obsédé par les succès mondains, et plus soucieux du salut de sa sœur, mais aussi, à l'arrière-plan, le père d'Augustin devient de plus en plus un "compatient" qui souffre pour le salut des autres :

« Il me dit que l'agonie de son père (d'après le récit de ceux qui la consolèrent) avait dû être atroce, mais que le redoublement de souffrances redoubla la joie du moribond parce qu'il ne doutait pas qu'une seule agonie pût peser d'un grand poids pour le salut du monde, à ce pire moment de la guerre. »[38]

Augustin parle de cette doctrine de la réversibilité, et en tire une leçon qui contredit les présomptions sur lesquelles le narrateur et les autres personnages du roman ont fondé leur philosophie de la vie :

« Augustin me parla, comme s'il y croyait lui aussi, de cette doctrine qui donne un prix infini à la douleur :

"Si bien, ajouta-t-il, que les vies manquées selon le monde, peut-être apparaîtront-elles, dans l'absolu, les seules réussies." »[39]

A la fin, le nouveau dernier paragraphe du roman souligne le rôle mystique d'Augustin. Florence, dès son retour d'hôpital, s'intéresse aux sciences occultes, et "cette ardeur qu'elle portait dans la recherche de la tendresse, s'emploie toute à des colloques, à des supplications, pour retenir un interlocuteur invisible, dans un guéridon ou dans une planchette". Elle essaie d'intéresser son frère à ces pratiques ; mais chez lui l'influence d'Augustin a été plus profonde. Il se tourne vers la religion ; mais, repoussé par la médiocrité des prêtres qu'il consulte (et qui lui conseillent "la joie" au lieu de la souffrance que, comme bon disciple du Renouveau Catholique, le Mauriac de cette époque, et son narrateur, conçoivent comme le seul moyen pour parvenir au salut) [40], il trouve qu'il ne lui reste que le souvenir du "sel incorruptible" que fut Augustin :

« Sur le ciel inconnu, aucun autre portique n'est-il ouvert ? Guidé par Augustin, autour du presbytère, j'ai rôdé : là demeure un curé robuste, pêcheur non d'hommes mais de poissons, et qui gronde si la nuit on le dérange pour un agonisant. D'un jeune prêtre qui défend ici son unique poumon, j'ai beaucoup espéré à cause de sa figure martyrisée et de ses yeux plus brûlants que ceux de l'abbé Lacordaire dans le portrait qu'a peint Chassériau. Mais, dès les premières confidences, il m'a conseillé de relire, dans l'Éthique, les théorèmes où Spinoza nous enseigne la joie. Si le sel de la terre s'affadit, qui lui rendra sa vertu ? Dans quelle cure de campagne, dans quelle cellule souffre le Saint qui me sauvera ? Toi seul, Augustin, tu me fus le sel incorruptible ; jusqu'à ce jour c'est en toi seul que je l'ai goûté et je ne vis plus que du souvenir de cette amertume sur mes lèvres. » [41]

Préséances est un livre complexe, avec des aspects remarquables, bien que, de par les changements de direction d'édition en édition, il manque de ligne directrice. A côté de lui, les deux nouvelles que nous allons examiner semblent bien fades ; elles suivent, d'une manière très simple, les voies bien connues de la littérature du renouveau catholique.

Le Visiteur nocturne (1920) commence avec l'évocation d'un écrivain à succès, Octave, qui est devenu de plus en plus désenchanté par la vie qu'il mène. Très tard un soir, seul dans son appartement parisien après une réunion, il reçoit la visite d'une personne que, d'abord, il ne reconnaît pas. Pauvre et misérablement habillé, l'inconnu s'avère être un ami d'enfance, Gabriel. Octave l'admet dans son appartement, mais son accueil est peu généreux, et il écoute d'une manière peu bienveillante les réminiscences de Gabriel ; il cache les restes délicieux de son repas du soir, et lui donne du pain, du fromage et de l'eau. Il permet à Gabriel, qui va émigrer à Dakar le lendemain par un navire en partance de Bordeaux, de passer la nuit dans son fauteuil, mais lui défend le divan luxueux, par peur de la souillure. Le lendemain, Octave se réveille après le départ de Gabriel ; il se sent maintenant gêné par la manière dont il l'a traité, et veut se rattraper ; il est empli d'une conscience du péché. Il se précipite à Bordeaux, présumant qu'à cause du mauvais temps le navire ne sera pas parti ; mais il est parti, et bientôt Octave apprend qu'il a sombré, perdu corps et biens. Octave se sent obscurément pardonné de ses péchés.

L'histoire est racontée dans un but évident d'édification. L'homme qui a erré loin de Dieu est ramené à Dieu par l'expérience qu'il subit ; une voix de l'enfance le ramène à la pureté. Ce but est souligné par le vocabulaire et par les images dont l'auteur se sert. Le visiteur (son nom Gabriel a une signification évidente) est clairement un messager de Dieu quand, devant le verre d'eau qu'Octave lui offre, il dit :

la vie de ce monde. Nous sommes, il est vrai, au seuil d'un changement dans les méthodes littéraires de Mauriac ; mais, comme nous le verrons, le legs du "roman catholique" restera, au début de son œuvre, difficile à nier.

IV

UN FAUX DÉPART
1921-1922

Dans les années vingt il semble que Mauriac ait commencé à éprouver un malaise en ce qui concerne sa position dans le monde des lettres. En continuant à écrire des romans comme *La Chair et le Sang,* il aurait réussi sans doute à s'assurer un public ; mais l'avenir de la littérature n'était pas là. Mauriac fut un lecteur avide de la littérature contemporaine ; déjà, avant la guerre, il avait lu *Du côté de chez Swann* de Proust dès sa parution en 1913 (et en avait même incorporé des échos dans *La Robe prétexte)* ; et il avait été fortement impressionné par les récits de Gide, en particulier par *La Porte étroite.* Dans les années entre 1913 et 1922, il lut la plupart des romans et des nouvelles des écrivains en vue : Gide, Proust, Morand, Colette, Lacretelle. Avant la guerre, ses comptes rendus dans les journaux littéraires avaient eu pour sujet surtout la poésie (y compris un ouvrage catholique d'André Lafon, *La Maison pauvre).* Maintenant, après la guerre, il commença à écrire des comptes rendus et des articles consacrés à des auteurs importants de la littérature contemporaine : Proust, Valéry, Gide, Lacretelle, Radiguet. Ce romancier chrétien goûtait surtout la littérature profane de son époque.

Il avait un profond enthousiasme pour *La Nouvelle Revue Française* ; comme il allait le dire bien plus tard, dans *La Rencontre avec Barrès* (1945), "je la lisais chaque mois jusqu'aux annonces. Littérairement, c'était mon évangile". Il était surtout impressionné par le "scrupule" de ce cénacle "devant l'œuvre d'art" [1]. Et il désirait être accepté par les écrivains de la *N.R.F.* comme un écrivain digne d'intérêt :

« En fait, c'était *La Nouvelle Revue Française* qui comptait pour moi, c'était l'approbation de Jacques Rivière, de Ramon Fernandez, d'André Gide surtout. » [2]

Ce jeune "romancier catholique" voulait donc être accepté comme faisant partie de la littérature moderne qui l'entourait, et qu'il appréciait tant ; mais il travaillait dans un genre désuet. D'où son dilemme, car en tant que catholique, il semblait qu'il avait le devoir d'écrire des romans catholiques ; mais le "roman catholique", surtout à cause de ses caractéristiques qui étaient liées à la nécessité d'enseigner des "vérités éternelles", restait un genre défini par les procédés du dix-neuvième siècle.

Il faut avouer, néanmoins, que les idées de Mauriac en ce qui concerne cette question ont été, apparemment, lentes à se développer. Dans la période que nous allons examiner dans ce chapitre, non seulement il continuait, tout en voulant être apprécié par ses contemporains, à écrire dans la tradition du "roman catholique", mais il s'y engageait plus profondément ; et du côté de la caractérisation et de la psychologie (le changement le plus important qui s'était produit dans la littérature contemporaine), ses techniques restaient pour la plupart celles du dix-neuvième siècle.

Il faut, pour apprécier cela, examiner un peu le problème tel que Mauriac allait le concevoir quelques années plus tard. Dans *Le Roman* (1928), écrit pour l'essentiel en 1927, Mauriac allait se révéler comme un élève bien endoctriné de l'école moderne. Au nom des auteurs de sa génération, il rejetait la tradition balzacienne (cette tradition sur laquelle le "roman catholique" basait tant de ses techniques) :

« Je ne sais quel critique parfois soupire, en coupant les pages d'un livre nouveau : "Encore un Balzac !". Que nous voilà loin de l'affirmation de Brunetière : "Depuis cinquante ans, un bon roman est un roman qui ressemble d'abord à un roman de Balzac." Nous serions, au contraire, tenté de dire : un roman nouveau n'attire plus notre attention que dans la mesure où il s'éloigne du type balzacien. » [3]

Il refusait la cohérence des héros de Balzac, où l'auteur a imposé son ordre sur le chaos de la réalité ; libre à Balzac de le faire, mais les auteurs modernes avaient d'autres soucis. Pour eux, il fallait se garder "d'introduire un ordre ni une logique préconçus dans la psychologie (des) personnages", ni de "porter d'avance aucun jugement sur leur valeur intellectuelle et morale". Mauriac oppose, de ce point de vue, Balzac et Dostoïevski :

« Nous souhaiterions ne pas introduire dans l'étude de l'homme une logique qui fût extérieure à l'homme ; nous craignons de lui imposer un ordre arbitraire. Un héros de Balzac est toujours cohérent, il n'est aucun de ses actes qui ne puisse être expliqué par sa passion dominante, ni qui ne soit dans la ligne de son personnage ; et cela certes est excellent ; on a le droit de concevoir l'art comme un ordre imposé à la nature ; on peut considérer que le propre du romancier est justement de débrouiller, d'organiser, d'équilibrer le chaos de l'être humain. (...) Mais au milieu du XIXᵉ siècle, un romancier a paru, dont le

47

prodigieux génie s'est appliqué au contraire à ne pas débrouiller cet écheveau qu'est une créature humaine, – qui s'est gardé d'introduire un ordre ni une logique préconçus dans la psychologie de ses personnages, qui les a créés sans porter d'avance aucun jugement sur leur valeur intellectuelle et morale (…) »[4]

On ne pouvait plus, disait Mauriac, "s'en tenir à la formule du roman psychologique français, où l'être humain est en quelque sorte dessiné, ordonné, comme la nature l'est à Versailles"[5]. Ceci était la leçon prônée par la plupart des littérateurs intelligents de son époque. Les récits de Gide avaient déjà montré la voie qu'allait suivre une nouvelle littérature faite de nuances et d'une vérité complexe et ambiguë. On doit souligner, néanmoins, que tout comme les expériences avec les techniques pour dépeindre la lumière qu'entreprenaient les peintres impressionnistes, toutes ces tendances ne constituaient en aucune manière une réaction contre le réalisme, mais, au contraire, l'aspiration vers un réalisme plus réel, dans lequel une description plus nuancée de la psychologie des personnages refléterait d'une manière plus exacte la diversité de la réalité.

Pour le Mauriac des années vingt, donc, il allait y avoir deux problèmes : a) celui de la représentation psychologique et *vraie* de la personnalité humaine, en se servant de techniques bien différentes de celles du dix-neuvième siècle ; b) celui de la dichotomie entre "la vérité humaine et le désir de faire le bien", entre l'utilisation des techniques du "roman catholique" traditionnel et celles du roman moderne.

Regardons maintenant le Mauriac des années 1921-1922 de ce point de vue. Selon sa propre opinion, *Le Baiser au lépreux* (1922) représenta une étape importante dans sa carrière. En regardant le devenir de son œuvre, plusieurs années plus tard, il la jugeait ainsi :

« Après ces longs et obscurs débuts, je débouchai enfin, un jour, avec *Le Baiser au lépreux*, sur une promesse tenue, non sur un point d'arrivée, mais sur un point de départ. »[6]

Avec ce roman, écrit pendant l'été de 1921, il avait non seulement trouvé son public, mais il était devenu un auteur à grand succès ; c'était aussi, dit Mauriac, le moment où il avait enfin trouvé son style et son "ton" :

« Avec *Le Baiser au lépreux*, tel est le changement de ton qu'il apparaîtra au lecteur que, sur le plan littéraire au moins, l'adolescent veule était bien mort en moi dès 1922. (...) *Le Baiser au lépreux* fixe le moment de ma carrière où, en même temps que mon style, j'ai trouvé mes lecteurs. »[7]

Cette opinion de Mauriac a mené plusieurs critiques à voir 1921-1922 comme le moment décisif dans la carrière de Mauriac, le grand changement qui allait mener enfin à des chefs-d'œuvre comme *Thérèse Desqueyroux*, *Destins* ou *Le Nœud de vipères*. Et il faut avouer qu'ici Mauriac a trouvé une nouvelle manière, et surtout une "vérité" en ce qui concerne le milieu où l'action se passe, qui fait de ce roman un nouveau départ (et le grand public l'a accueilli comme tel). Mais si l'on regarde de près *Le Baiser au lépreux*, et *Le Fleuve de feu*, on s'apercevra que ces deux romans gardent beaucoup de caractéristiques du "roman catholique" et du roman du dix-neuvième siècle. L'auteur ne semble pas se soucier des dilemmes que nous avons indiqués plus haut, bien que sous certains aspects nous commencions à y voir les premiers indices d'une nouvelle façon d'écrire. Ce n'est qu'en 1924, à l'époque du *Désert de l'amour*, qu'un changement beaucoup plus fondamental aura lieu, et que Mauriac s'occupera de ces deux problèmes d'une manière décisive, comme nous allons voir.

Il est vrai que Mauriac réussit, dans *Le Baiser au lépreux*, à créer une ambiance plus convaincante que celle de sa première période. Ceci vient, il nous assure, du fait que tous les personnages sont fondés sur la vérité :

« Aucun des personnages du *Baiser au lépreux* n'est inventé : c'est leur destinée que j'invente. Je pourrais mettre un nom sous chaque Péloueyre ; je les ai tous connus dans la vieille maison de Villandraut, sur la place... » [8]

Mais, malgré cette "vérité" sous-jacente, il faut avouer que les techniques dont Mauriac se sert dans ce roman pour la peinture psychologique des personnages restent toujours celles d'un romancier du dix-neuvième siècle.

Quand Jean Péloueyre découvre les *Morceaux choisis* de Nietzsche, par exemple, l'auteur nous mène par la main, pour nous faire comprendre clairement cette influence. Il cite des passages de Nietzsche, et décrit leur effet en détail. D'abord, l'effet général ("Ces paroles entraient en lui comme dans une chambre dont on pousse les volets, l'embrasement d'un après-midi"), et puis l'effet philosophique :

« Il (...) répétait les mots de Nietzsche, se pénétrait de leur sens, les entendait gronder en lui comme un grand vent d'octobre. Un instant, il crut voir à ses pieds, pareille à un chêne déraciné, sa foi. Sa foi n'était-elle pas là, gisante, dans ce torride jour ? Non, non : l'arbre l'étreignait encore de ses mille racines ; après cette rafale, Jean Péloueyre en retrouvait dans son cœur l'ombre aimée, le mystère sous ces frondaisons drues et de nouveau immobiles. Mais il découvrait enfin que la religion lui fut surtout un refuge. » [9]

L'auteur va même plus loin. Il nous explique les actions de Jean, à partir de cette lecture (l'acceptation du mariage avec Noémi), en nous plaçant à l'avenir pour écouter le jugement de Jean lui-même sur cette question :

« Jean, affolé, ne trouvait pas ses mots. N'était-ce pas enfin l'instant de s'échapper du troupeau des esclaves et d'agir en Maître ? Cette minute unique lui était donnée pour rompre sa chaîne, devenir un homme. Comme on le pressait de répondre, il fit un vague signe d'assentiment. Plus tard, songeant à cette seconde où se noua son destin, il s'avoua que dix pages de Nietzsche mal comprises le décidèrent. » [10]

Sans la dernière phrase, ce passage aurait été bien plus subtil. Nous aurions compris que l'action découlait de sa lecture de Nietzsche ; et, si Mauriac avait su se servir des techniques qu'il allait utiliser plus tard dans, par exemple, *Le Désert de l'amour* [11], il nous aurait fait comprendre implicitement que Jean avait mal compris Nietzsche, sans sentir le besoin de souligner ce message avec ce qui, bien qu'elle semble une intervention du Jean de l'avenir, n'est en réalité qu'une intervention assez banale de l'auteur. A cette époque Mauriac garde toujours le besoin de souligner la leçon morale de son œuvre, et donc de dévaluer ces lectures anti-chrétiennes ; pour cela, il met les points sur les i d'une manière assez maladroite.

Plus tard, quand Jean se sert, contre Nietzsche, de sa lecture de Pascal, on a encore une fois l'impression que c'est l'auteur qui parle à travers son personnage :

« D'ailleurs, ce Maître, s'il avait existé, eût-il été immortel ? Jean Péloueyre, gesticulant à cette table des boulevards comme entre les murs d'une route de son village, se citait à lui-même le mot de Pascal sur la fin de la plus belle vie du monde. On perd toujours la partie ! On perd toujours la partie, ô cerveau ramolli de Nietzsche !... » [12]

Si nous regardons le personnage de Noémi, nous trouvons la même situation : tout en donnant l'apparence d'avoir un point de vue personnel, elle est visiblement observée par l'auteur, d'une position avantageuse où il possède une connaissance supérieure, et perçoit ce qu'elle ignore d'elle-même :

« Inquiète de n'éprouver plus la paix d'avant que cet homme la possédât, comment eût-elle discerné ce désaccord entre son cœur toujours endormi et sa chair à demi éveillée ? Elle avait ressenti le déchirement de son être, avec horreur, certes, mais la chair est fidèle à ne rien oublier de ce qu'elle subit. Comme la jeune femme n'ouvrait d'autre livre que son paroissien et que son état de jeune fille bien née et pauvre l'avait tenue à l'écart de toute intime compagnie, aucune fiction, nulle confidence ne l'aurait éclairée sur cette secrète exigence en elle. » [13]

Il est assez étrange que, dans ce livre qui, par tant d'autres caractéristiques, fut un si grand pas en avant, la peinture de la psychologie soit restée toujours si primaire – et surtout la peinture de la psychologie féminine, qui allait être le fort de Mauriac dans les années à venir. Quelques années plus tard, avec *Le Dernier Chapitre du Baiser au lépreux* (1932), Mauriac allait réussir à dépeindre la psychologie de Noémi d'une manière beaucoup plus nuancée. Mais en 1921-1922 nous sommes loin de l'idéal de la représentation moderne de la psychologie humaine, tel que Mauriac allait le prôner dans *Le Roman*.

Il y a une autre caractéristique de ce roman, qui l'éloigne même plus fondamentalement de la littérature moderne, et qui l'attache au "roman catholique" traditionnel. C'est l'utilisation du thème de la souffrance expiatoire. Mauriac reste, comme les romanciers catholiques traditionnels, "pris entre la vérité humaine et le devoir de faire le bien". Comme "Louis Artus, à qui j'ai dédié *Le Baiser au lépreux* et dont l'œuvre est intéressante à étudier parce qu'il cherche justement à échapper à ce dilemme" [14], Mauriac reste figé dans le problème, et n'arrive ni à le résoudre ni à s'en échapper. Le fait qu'il ait dédié *Le Baiser au lépreux* à Louis Artus est assez révélateur ; Mauriac avait fait un séjour chez cet auteur (qu'il connaissait par son grand ami Jacques-Émile Blanche) en été 1921, lorsqu'il était en train d'écrire *Le Baiser au lépreux* (et qu'Artus écrivait *La Voix de la vigne*). A cette époque, sa perception du problème, et des solutions qui pourraient se présenter, restait toujours centrée sur une réforme du "roman catholique" tel qu'on le connaissait ; ce n'est que plus tard qu'il arriverait à la conclusion qu'une chirurgie plus fondamentale était nécessaire.

Pour le moment, il fallait continuer à indiquer un message catholique ; et le changement du titre de ce roman, en lui-même, est éloquent. Au cours de la rédaction du roman, le titre *Dormir plutôt que vivre* lui était destiné ; ce n'est qu'assez tard que le titre *le Baiser au lépreux* prit sa place. Le nouveau titre apparente le texte de Mauriac à toute une tradition de la souffrance chrétienne liée à cette image frappante ; en plus, il devait rappeler au lecteur catholique contemporain le thème central de la pièce de Claudel, *L'Annonce faite à Marie*, parue en 1911 et publiée en 1912, dont le message était celui de l'efficacité de la souffrance expiatoire assumée pour le salut du monde par l'héroïne Violaine, qui devient volontairement lépreuse après avoir embrassé le lépreux Pierre de Craon.

Le lecteur catholique contemporain était donc déjà à l'affût du thème de la souffrance expiatoire ; il ne serait point déçu. Jean, qui prend consciemment la maladie du jeune Pieuchon, est décrit comme "ce mourant qui donnait sa vie pour le salut de plusieurs"[15]. Noémi, qui lui donne des baisers qui sont comme "ces baisers qu'autrefois des lèvres de saints imposaient aux lépreux"[16], est consciente, à la fin, que "toute route lui était fermée, hors le renoncement". Mais, déjà, Mauriac se sert de ce thème d'une manière plus subtile et plus ambiguë. La description de la mission de Jean nous est visiblement donnée du point de vue du curé, un témoin faillible ; le renoncement de Noémi peut avoir une variété de causes. Voici donc le commencement d'une nouvelle manière de traiter ce thème.

Dans *Le Fleuve de feu*, qui parut en feuilleton en décembre 1922, il y a d'un côté des progrès en ce qui concerne la psychologie, et surtout la psychologie féminine ; mais du point de vue du didactisme, et des procédés liés au miraculeux, nous nous trouvons, plus encore que dans *Le Baiser au lépreux*, en plein "roman catholique". (Nous pouvons voir une ironie dans le fait que ce roman fut le seul des romans de Mauriac à être publié en feuilleton dans *la Nouvelle Revue Française*).

Prenons la psychologie d'abord. Dans ce roman, dit Mauriac, en une phrase qui trahit sa préoccupation du point de vue de la littérature profane contemporaine, "tous mes héros sont parents de ceux qu'inventent la plupart des romanciers de ma génération". Cette génération de romanciers "est la première qui ne soit pas née sous le signe de Balzac ; elle écrit sous le signe de Proust et de Freud"[17]. Bien sûr, ni Mauriac ni la plupart des romanciers de cette génération n'avaient lu Freud à cette époque ; mais tout le monde fut conscient de l'importance des découvertes de la psychanalyse, et Mauriac partageait le désir de ses contemporains de parfaire, selon les nouvelles théories, leur façon de décrire la psychologie de leurs personnages.

Comme Mauriac le dit, les trois protagonistes, "Daniel Trasis, ce garçon débauché et inquiet, Gisèle de Plailly, cette jeune fille asservie à sa chair, Mme de Villeron, son amie si noble, si haute (...) sont (...) des *sexuels*" [18]. Mais ce n'est pas la nature psychologique de ces héros, en soi, qui nous intéresse ici, mais le commencement, dans le Chapitre IV, en ce qui concerne Mme de Villeron, d'une nouvelle technique d'ambiguïté et de suggestion.

Dans les premiers romans de Mauriac, la pureté et le vice étaient très simplement symbolisés par certaines femmes (dans les yeux du héros, et dans ceux de l'auteur). Or, dans *Le Fleuve de feu*, les idées toutes faites du héros, Daniel Trasis, en ce qui concerne les deux femmes Gisèle et Lucile, se révèlent (ou semblent se révéler) complètement fausses. Dans Gisèle, d'une manière très simpliste, il voit d'abord l'idéal de la pureté qu'il cherche. Or, elle est une fille mère, une femme obsédée par les tentations de la chair ; en elle se joue une bataille permanente entre les aspirations religieuses et les tentations charnelles. Quant à Lucile, il l'imagine d'abord comme ayant un attachement lesbien pour Gisèle ; encore une fois il a tort, semble-t-il ; elle est une femme pieuse, vouée au salut de Gisèle.

Mais Mauriac nous réserve encore une surprise, voilée dans l'ambiguïté. Car il n'est pas certain que Daniel ait eu tort, en ce qui concerne Lucile de Villeron (qui, elle aussi, fait partie des "sexuels" dont Mauriac a parlé à propos de ce livre). Au commencement du

55

chapitre IV, nous l'observons qui se demande dans un monologue intérieur si ses mobiles sont aussi simples et incontestables qu'elle l'avait cru jusqu'ici (et que nous, les lecteurs, avions cru aussi). Elle se pose des questions, d'abord, sur ses relations avec Daniel :

« Avait-elle alors simulé à son égard la sollicitude qu'elle lui montra ? Fut-ce une comédie ? Non, non. Lucile éprouvait d'abord de la pitié pour toute chair. » [19]

Cette technique de questionnement, et de réponses apparemment fermes qui ne le sont pourtant pas, est un avant-goût de l'utilisation beaucoup plus générale et plus élaborée de la même technique dans *Le Désert de l'amour* et *Thérèse Desqueyroux*.

Vers la fin de son monologue intérieur, Lucile essaie de fixer ses pensées sur Dieu ; mais elle se trouve envahie par d'autres sensations, qu'elle ne comprend pas :

« C'était vrai que jamais jusqu'à ce soir elle n'avait connu cette faiblesse, ce goût des larmes, ni même, si aigu, le désir d'une humaine consolation. Quel appui cherchait son front ? Et pourquoi ses deux mains demeuraient-elles sur ses genoux ouvertes – attendant quelle aumône ? » [20]

Tout au long de la conversation avec Gisèle qui remplit le reste du chapitre, Lucile montre la même incertitude par rapport à ses propres réflexes ; et l'on commence, obscurément, à se demander si, dans sa sollicitude pour Gisèle, il n'entre pas, à son insu, des mobiles plus personnels. Une des phrases les plus frappantes est, elle aussi, une sorte de question : "Elle aurait voulu que Gisèle la console d'elle ne savait quoi" [21]. Comme Jacques Petit l'a observé :

« C'est sur ce doute et cette peur que le personnage de Mme de Villeron disparaît. » [22]

Cette ambiguïté, qui effleure si délicatement cette question, est loin de ce qu'attendaient certains de ceux qui lisaient ce roman en feuilleton. Dès le premier épisode, Jacques-Émile Blanche écrivit à Mauriac, de Londres :

« Tout Chelsea lit avec passion votre nouveau roman et l'admire extrêmement. Je me demande si la suite de l'histoire (que je ne connais que par ouï-dire) sera ce que nos amis l'imaginent et qui serait assez risqué et gomorrhéen. Je ne puis le croire, quoique l'art du narrateur et son esprit catholique soient capable (sic) de niveler des montagnes, de dessécher des marais, et d'autres miracles. » [23]

Il ne faut pas oublier que dans la société que Mauriac fréquentait à cette époque, les questions d'homosexualité étaient des sujets courants de conversation (pour le moins), et que les allusions dans la première partie du roman mèneraient ces lecteurs inéluctablement vers une telle conclusion. La parution, quelques mois plus tôt, du *Sodome et Gomorrhe* de Proust, où le héros d'*À la recherche du temps perdu* commence à soupçonner Albertine de lesbianisme, avait préconditionné de tels lecteurs, comme Mauriac devait le savoir. Le procédé de Mauriac comporte trois phases : d'abord, les suppositions de Daniel ; puis le démenti apparent de ces suppositions ; et finalement, le retour à la question, à travers les incertitudes de Lucile et son manque de compréhension à l'égard de ses propres sentiments. Quand on se rend compte que l'ouvrage fut initialement livré au lecteur sous forme de feuilletons, il est clair que ces trois phases furent révélées graduellement, et que Mauriac jouait avec ses lecteurs d'épisode en épisode (comme les réactions de Blanche et de ses amis en témoignent).

Cette ambiguïté qu'on trouve chez Lucile, par laquelle le personnage ne sait où la vérité se trouve, (n'arrivant qu'à entrevoir les possibilités, tandis que tout reste incertain), est typique de la littérature moderne, mais il apparaît ici pour la première fois dans l'œuvre de Mauriac. Il faut avouer que la peinture de la psychologie des autres personnages n'arrive pas à cette hauteur, et que ces détails dans la représentation de Lucile sont une exception aux procédés qu'utilise Mauriac dans le reste du roman.

La représentation de Gisèle de Plailly, surtout, est délimitée par le besoin que sentait Mauriac de dépeindre "les défaillances d'une jeune fille, esclave de sa chair, jusqu'à ce que la grâce la frappe et la sauve"[24]. Autrement dit, il y a là un impératif didactique qui simplifie nécessairement la peinture psychologique, et qui contient un élément qui reste en dehors des enseignements de la psychologie moderne : cet impératif, c'est la grâce. La description finale de Gisèle dépeint, de l'extérieur, les effets de la grâce, et contient le jugement de l'auteur pour qui elle est "sauvée" :

« Mlle de Plailly, à un appel répété de la clochette, de nouveau s'abaissa, fut seule à la sainte Table. Daniel se dissimula quand elle revint à sa place. Mais elle ne l'aurait pas aperçu, repliée sur soi, refermée, lente et comme alourdie d'un poids délicieux qui l'empêcha de s'élever encore, la retint à terre abîmée, perdue, sauvée. »[25]

Mauriac devait reconnaître "que l'épilogue du *Fleuve de feu*, où l'action de la grâce est le plus visible, a dérouté quelques-uns de ceux qui l'ont lu à *la Nouvelle Revue française*"[26]. Les critiques ont tous été d'accord pour souligner l'artificialité du dénouement de ce roman, la conversion miraculeuse de Gisèle ;

mais personne, parmi nos lecteurs modernes, ne semble s'être rendu compte du réseau miraculeux qui mène à ce miracle à travers le roman entier, et qui aurait été évident aux lecteurs des "romans catholiques" de l'époque.

Ce qui est intéressant, c'est que cette orientation n'existait pas dans le manuscrit de 1919 de la « nouvelle » dont allait sortir le roman. Ces aspects ont été ajoutés au cours de la rédaction de 1921-1922 ; cela veut dire que l'aspect "roman catholique" n'était pas le vestige de quelque chose à quoi Mauriac essayait de s'échapper à cette époque ; c'était quelque chose de vivant, qui se plaçait toujours au centre des intentions de l'auteur.

Derrière tout le drame de Daniel Trasis et de Gisèle de Plailly se dessine maintenant, à travers ces ajouts, une volonté divine. Au centre de cette nouvelle orientation se trouve un nouveau personnage, qui ne paraît jamais sur scène : Marie Ransinangue. Les commentateurs modernes ont vu dans le rôle de Marie une influence de plus sur les idées de Daniel sur la pureté. Mais, si on la regarde de près, on voit qu'elle est sœur de toutes ces "compatientes" qui existent à l'arrière-plan des romans catholiques d'avant-guerre, telle la Mathilde Cazade de Lafon ; et qu'à la fin du roman, c'est son influence qui explique tout le dénouement.

Dès le commencement du roman, ce nouveau thème surgit. Daniel se souvient, en attendant la mystérieuse Mlle de Plailly, de cette jeune fille, Marie Ransinangue, qui "lui avait plu par sa candeur". Un jour, elle lui avait dit : "Ce matin, j'ai communié pour vous". Elle l'avait évité, et "Il chercha ailleurs son plaisir, mais sut que Marie faisait réciter leur catéchisme aux drôles de Bourideys, coiffait les mariées et les communiantes après avoir tué leurs poux, veillait les morts". Un jour il avait appris, pendant la guerre, qu'elle avait fait vœu d'entrer en religion, si lui, Daniel, revenait sain et sauf de l'armée. En 1918, à son retour, elle entra au Carmel de Toulouse. Et, au milieu des plaisirs de la vie parisienne, bien que Daniel ne crût prêter aucune attention à cette entrée au cloître, il y avait des moments où "le garçon avait, le temps d'un éclair, la vision d'une petite paysanne prostrée. Il voyait les carreaux rouges qu'elle lavait, une terrine pleine d'eau, un crucifix sur la chaux du mur" [27].

Le thème revient avec insistance, surtout dans cette première partie du roman. D'abord, c'est seulement dans le cadre des désirs de Daniel en ce qui concerne la pureté de celle qu'il convoite : "Il aurait voulu qu'elle eût été jusqu'à ce jour une petite Marie Ransinangue, gardée dans un cloître, défendue des regards" [28]. Mais il se rend compte quand même que Marie Ransinangue était "mystérieusement perdue à cause de lui dans les ténèbres qu'il ne pouvait imaginer" [29], et il l'imagine "exténuée de jeûne, les genoux blessés contre les carreaux" [30]. L'image revient avec obsession :

« Paris, ses jazz et la trépidation sur place de son corps et d'un autre, et ces bars de cuir où il se vautrait à fond de cale, parfois contre l'épaule d'une femme dont il n'avait pas regardé la figure ; – la traversée folle de Paris vide à l'aube dans l'Hispano où ils étaient six, – une femme dormait ou était évanouie. – Et il voyait aussi une petite paysanne prostrée, les carreaux rouges du Carmel, et, près de l'humble laveuse, une terrine pleine d'eau, un crucifix sur la chaux du mur. » [31]

Il serait facile de voir l'importance de ce souvenir comme résidant tout simplement dans le fait qu'il "s'accorde avec un désir de renoncement"[32] ; cela serait tout à fait en accord avec le titre original du roman, *La Pureté perdue*. Mais le rôle de cette jeune "compatiente" va beaucoup plus loin. La fin du roman, où Gisèle change complètement d'attitude à l'égard de l'appel de la chair, a toujours semblé très soudaine, et assez inattendue, et les critiques ont signalé "l'invraisemblance" de cette conversion, à leur avis trop brusque. Mais dans la tradition du "roman catholique" cette conversion est tout ce qu'il y a de plus vraisemblable. D'un côté, en parlant à Lucile, Gisèle souligne le fait que ce changement a eu lieu "comme si quelqu'un se mettait à ma place" :

« Lorsque je te quittai, je ne pensais à rien qu'au renouvellement de mon crime et à tromper ta sur-veillance ; j'attendais qu'il me fît signe... Quelles nuits ! Tu ne peux pas savoir. Mais, chaque jour, je souffrais un peu moins de son silence... Puis j'ai eu peur de son appel, et voici que je ne le redoute presque plus. Je n'y suis pour rien, pour rien : c'est comme si quelqu'un se mettait à ma place... Comment t'expli-quer ? En moi, ce qui hurlait de faim se tut, alors une voix que je n'entendais plus s'éleva... »[33]

Pendant ce temps Daniel n'avait pas écrit à Gisèle ; et la description que Mauriac donne de lui est celle de quelqu'un qui continuait à éprouver la nostalgie de la "pureté survivant à toute caresse ; neige plus forte que le soleil...". Mais soudainement, pour le lecteur averti, tout s'explique :

« Une autre circonstance, d'ailleurs, avait ouvert son esprit à des préoccupations singulières : vers ce temps-là, en termes ampoulés, la sœur Lodois lui annonça (de la part des Ransinangue qui ne savaient pas écrire) la mort au Carmel de Marie Ransinangue après des mois de consumption. Elle avait beaucoup souffert, surtout moralement, lui mandait la sœur ; Marie se croyait abandonnée de Dieu, avait été éprouvée dans sa foi et n'avait retrouvée la lumière que peu de jours avant l'agonie. Mais alors un sourire, même après la mort, n'avait cessé d'éclairer son visage endormi. » [34]

Si, comme l'auteur nous encourage à le faire, nous convenons que l'importance de Marie Ransinangue est de "sauver" Daniel par ses souffrances, alors on voit que la pire des souffrances, celle de se croire abandonnée de Dieu, a dû coïncider temporellement avec les démêlés coupables de Daniel avec Gisèle. Les souffrances terribles de Marie correspondent à la lutte pour l'âme de Daniel. Et, pour que Daniel soit sauvé, il faut que Gisèle l'y mène, et qu'elle soit convertie elle-même. Marie a dû "retrouver la lumière", juste avant sa mort, au moment même de la "conversion" de Gisèle ; "c'est comme si quelqu'un se mettait à ma place". Les souffrances et la mort de Marie ont payé les âmes de Gisèle et de Daniel. La "conversion" de Gisèle détourne Daniel du désir de retrouver Gisèle ; et, dans les dernières phrases du roman, dans la petite église où il observe Gisèle en prière, il est ramené à la foi :

« Alors Daniel se pencha sur cette piscine séculaire et délaissée des hommes d'où pourtant les cœurs et les corps des jeunes filles perdues remontent de nouveau resplendissants. "Qu'elle ne me voie pas... qu'elle ne me voie pas..." A reculons, retenant son souffle, il atteignit la porte, baigna sa main dans l'Eau, toucha son front, sa poitrine, ses épaules, s'en alla. » [35]

Le Fleuve de feu se lie, par ces détails, aux deux nouvelles pieuses que nous avons examinées dans le précédent chapitre. Comme dans *Le Visiteur nocturne*, des effets miraculeux, menant à la conversion, proviennent de la souffrance d'un autre ; dans les deux ouvrages, l'auteur nous fait comprendre, implicitement, que la mort d'un personnage coïncide, dans le temps, avec ces effets miraculeux ; dans les deux ouvrages, l'histoire se termine dans une église, où le protagoniste fait un geste religieux (Octave se met à genoux, Daniel fait le signe de la croix). Comme dans *La Paroisse morte,* l'héroïne se trouve, à la fin, dans une paroisse morte, où pendant que la cloche tinte pour la messe, "les femmes dépeignées sur les seuils, les enfants, ne savaient pas que c'était dimanche", et Daniel "vit luire au fond d'un ténébreux rez-de-chaussée le zinc d'un comptoir, autel à l'heure des libations, qu'entouraient des hommes debout, tête nue". Dans l'église presque déserte, "les trois bonnes familles du village occupaient leurs bancs", le prêtre est "pressé"[36]. Ces descriptions suivent de très près celles de *La Paroisse morte*[37]. Mais c'est ici, dans cette ambiance si déprimante, que Gisèle trouve son salut, et qu'elle entreprend l'œuvre parmi les jeunes à laquelle avait rêvé Geneviève, l'héroïne de *La Paroisse morte*. Elle remplace Marie Ransinangue, qui s'était occupé des jeunes de la même manière. La boucle est bouclée.

Voici, donc, un paradoxe. Dans la période que Mauriac, regardant son œuvre après coup, voyait comme celle du grand moment à partir duquel son œuvre avait changé de direction, cette œuvre continua dans les voies traditionnelles du roman catholique. En effet, telle était l'importance des procédés de cette tradition, pour Mauriac à cette époque, qu'il introduisit ces procédés dans des textes où, jusqu'ici, ils n'avaient pas existé. Il a ajouté, dans les *Préséances* de 1921 et *Le Fleuve de feu* de 1922, d'importants détails concernant la souffrance expiatoire, qui pour ce dernier, devinrent indispensables à l'intrigue du roman.

Du point de vue de l'influence du " roman catholique" donc, les romans et les nouvelles écrits entre 1919 et 1923 forment un tout assez uniforme. C'est dans cette période que, commençant avec *La Chair et le Sang*, Mauriac, quittant ses essais dans le genre "roman pieux", avait commencé à écrire dans le style du "roman mystique" de Baumann. Comme nous avons vu, ce style domine (des détails ayant été introduits dans ce but évident) dans des œuvres comme *La Chair et le Sang* (1919), *Le Visiteur nocturne* (1920), *La Paroisse morte* (1921) et *Le Fleuve de feu* (1922), et il prend aussi une certaine importance dans *Préséances* (1921) et *Le Baiser au lépreux* (1922).

Quelle est donc la grande différence que Mauriac perçut dans son œuvre à partir du *Baiser au lépreux* ? Cette différence semble s'attacher à la *réalité* des personnages et des ambiances et aux descriptions d'une vie provinciale, des familles et de leurs drames, qui seront le cadre de la plupart de ses livres à partir de ce moment. Ajoutez à cela l'idée que ses personnages, dès le *Fleuve de feu*, sont des "sexuels" (et donc "vrais" selon sa conception de l'œuvre de Proust et de Freud), et que la peinture des passions, à partir de ce moment, comportera toutes sortes de variations. L'allusion au lesbianisme, chez Lucile dans *Le Fleuve de feu*, trouvera des parallèles dans *Le Désert de l'amour* et *Thérèse Desqueyroux* ; à cela, dans plusieurs des romans à partir de ce moment, s'ajouteront des allusions à l'homosexualité masculine et même à l'inceste. Rien ne sera tabou pour ce romancier qui veut peindre la "vérité humaine".

Ces nouveaux aspects, cependant, n'ont rien à voir avec le problème de technique littéraire que nous avons abordé au commencement de ce chapitre : celui de la nécessité de trouver un moyen de décrire la vérité psychologique d'une manière moderne, qui éviterait la solution balzacienne. Mauriac semble ignorer ce problème à cette époque (il ne sera, bien sûr, traité par lui dans un écrit critique qu'en 1927, avec *Le Roman*) ; mais, dans un des détails du *Fleuve de feu* (l'ambiguïté avec laquelle Mauriac traite à un certain moment un de ses personnages, Lucile de Villeron), nous commençons à voir ce que sera, dans l'avenir, le succès de ses descriptions psychologiques.

1922, avec *Le Baiser au lépreux*, ne fut pas le moment décisif dans le développement de Mauriac comme romancier. Celui-ci allait venir vers 1924, et serait en grande partie dû à d'importantes influences de la littérature contemporaine.

Une lettre que Mauriac écrivit à sa femme, au commencement de 1922, nous démontre qu'il était à la fois sensible à un nouveau besoin (celui d'écrire un roman d'où la présence explicite de la religion serait absente) et incapable de satisfaire ce besoin. Il était en train d'écrire *Le Fleuve de feu* :

« Je travaille beaucoup à mon roman (...) Et ce livre que je voulais a-religieux sera, malgré moi, chrétien. Il m'est impossible de ne pas rendre *témoignage*. Sois assurée, quoi qu'en disent certains, que ce témoignage en vaut un autre. Je peins des êtres au fond de l'abîme ; mais au fond de l'abîme, ils voient le ciel. » [38]

En 1922, il continuait à sentir la nécessité de *porter témoignage* de cette manière si explicite. Un an plus tard, sa perception de cette question allait changer fondamentalement.

V

LE TOURNANT
1923-1924

En mai 1923, dans une interview devenue célèbre, Mauriac annonça, au journaliste Frédéric Lefèvre, une nouvelle orientation dans ses procédés de romancier :

« Dans mes prochains romans, le catholicisme touchera de moins en moins mes héros, et ce sera cependant faire œuvre catholique que de montrer l'absence du catholicisme et les conséquences lamentables que cela entraîne ; rien qu'en mettant en scène des êtres complètement dépourvus de vie religieuse, on découvre le grand vide des âmes, vide surtout sensible chez les femmes. »[1]

C'était le mois où *Le Fleuve de feu* fut enfin publié en librairie, chez Grasset. Rien de plus éloigné de cette nouvelle formulation si tranchante que ce "roman catholique", avec son dénouement miraculeux et ses personnages hantés par la religion. Mais Mauriac voulait maintenant se distinguer de cette tradition : «Je suis romancier ; je suis catholique, c'est là qu'est le conflit ! »[2].

Cette formule, qui a mené à tant de gloses de la part des critiques, ne se prête pas, comme plusieurs l'ont cru, à une interprétation générale de l'œuvre de

Mauriac. Elle s'applique à un moment précis de sa carrière, où il s'est rendu compte d'une manière très aiguë du problème des "romanciers catholiques traditionnels" tels que nous les avons décrits, et où il voulait garder ses distances vis-à-vis d'eux. Les "romanciers catholiques", "pris entre la vérité humaine et le devoir de faire le bien"[3], n'avaient pas pu échapper à cette difficulté pour devenir des romanciers à l'image du vingtième siècle. Un peu plus d'un an auparavant, Mauriac avait partagé ce dilemme, en reconnaissant l'impossibilité, pour lui, d'écrire un roman "a-religieux" ; maintenant il était décidé à éviter ce problème, en écrivant des romans où il n'y aurait pas de contenu religieux explicite, et qui seraient de ce fait indifférenciables des romans profanes de son époque.

Ceci devient plus clair si l'on se réfère aux idées exprimées par Mauriac dans la période 1923-1927 au sujet des romanciers non-catholiques de son époque. Selon ces idées, la peinture vraie des vices devient en quelque sorte un geste religieux, même de la part d'un romancier qui n'a pas de tendances religieuses. Dans la conférence de 1927 qui deviendra *Le Roman* (1928), Mauriac dit que Dieu est présent dans l'œuvre d'un romancier profane, pourvu que l'être humain y soit décrit d'une manière qui nous apprenne à nous connaître :

« Il n'est pas un romancier – fût-il audacieux, et même plus qu'audacieux – qui, dans la mesure où il nous apprend à nous mieux connaître, ne nous rapproche de Dieu. »[4]

Selon cette formule, un livre comme *Chéri* de Colette, malgré son caractère licencieux, et malgré le manque d'intention religieuse de la part de l'auteur, peut nous mener à Dieu :

« Qui n'a lu *Chéri* et *La Fin de Chéri* ? Impossible d'imaginer une humanité plus pauvre, plus démunie, plus boueuse. Un enfant élevé par de vieilles courtisanes retraitées, les amours de cet enfant et d'une femme sur le retour et qui pourrait être sa mère, – tout cela dans une atmosphère de jouissance et de basse crapule, – un parti pris de ne rien voir, de ne rien connaître que les mouvements de la chair... et pourtant ces deux livres admirables, c'est trop peu de dire qu'ils ne nous abaissent pas, qu'ils ne nous salissent pas ; la dernière page ne laisse en nous rien qui ressemble à cet écœurement, à cet appauvrissement dont nous souffrons à la lecture de tels ouvrages licencieux. (...) Ainsi ces livres font songer à ces égouts des grandes villes qui tout de même se jettent dans le fleuve et, confondus avec lui, atteignent la mer. Cette païenne, cette charnelle nous mène irrésistiblement à Dieu. »[5]

De telles œuvres peuvent servir, parce que, qu'il le veuille ou non, l'écrivain moderne, même s'il est dépourvu de tout esprit religieux, décrit "ce que Pascal appelait la misère de l'homme sans Dieu"[6]. Les nouvelles de Morand, les romans de Colette, sont à cet égard des œuvres religieuses :

« Nul ne peut suivre le *Chéri* de Colette ni atteindre, à travers quelle boue ! ce misérable divan où il choisit de mourir, sans comprendre enfin, jusqu'au tréfonds, ce que signifie : *misère de l'homme sans Dieu*. Des plus cyniques, des plus tristes confessions des enfants de ce siècle monte un gémissement inénarrable. Aux dernières pages de Proust, je ne peux plus voir que cela : un trou béant, une absence infinie. »[7]

L'influence du *Chéri* (1920) de Colette se fit sentir chez Mauriac bien avant 1927. Alors que *La Fin de Chéri* n'allait paraître qu'en 1926, en mai 1925 Mauriac écrivit pour la *NRF* un compte rendu de la pièce qui avait été tirée de *Chéri*, dans lequel il élaborait déjà, avec les mêmes images, la théorie de "l'égout (...) qui ouvre (...) sur le ciel" :

« (...) L'impure maternité de la vieille courtisane pour un beau gosse avachi, fils de grue et nourri à l'office.

Ô fangeuse grandeur ! Sublime ignominie !

C'est le miracle que chaque œuvre de Colette renouvelle ; cette magicienne nous enferme dans un égout, mais qui ouvre sur le fleuve, puis sur la mer, puis sur le ciel. »[8]

Même avant cela, à travers des parallèles textuels et thématiques qui se font jour dès 1923-1924, on aperçoit l'importance de *Chéri*, comme nous allons voir ; de même, le roman *Le Diable au corps* de Radiguet, qui parut chez Grasset, l'éditeur de Mauriac, deux mois avant l'interview avec Lefèvre, et auquel Mauriac donna un compte rendu très élogieux dès sa parution, allait avoir une importante influence thématique et stylistique sur notre auteur.

Nous verrons la grande influence de ces deux romanciers dans *le Désert de l'Amour*, écrit et publié en feuilleton en 1924. Cette influence se révélera thématiquement par une nouvelle conception de l'adolescent ; mais d'une manière plus importante, elle se révélera non seulement à travers l'absence d'un apport religieux explicite, mais aussi par l'utilisation d'une gamme entière des techniques du roman moderne. Avant ce roman, cependant, deux autres parurent, qu'il sera important d'examiner du point de vue annoncé par l'interview avec Lefèvre.

Le premier est *Genitrix*, écrit pendant l'été 1923, juste après l'interview en question ; il parut chez

Grasset en décembre. Ce roman nous raconte l'histoire de deux des personnages mineurs du *Baiser au lépreux*, Félicité Cazenave (la tante de Jean Péloueyre) et son fils Fernand. C'est un drame qui a pour centre la mère "dévoratrice" et ses relations avec son fils.

Le seul rapport important entre *Le Baiser au lépreux* et *Genitrix* est la peinture des mœurs d'une société close, et des monstres qui y trouvent leur place. Du point de vue du roman religieux, cependant, tout a changé. Nulle évidence explicite d'un thème religieux. Quand il y a une allusion à la souffrance expiatoire, c'est une allusion ironique et moqueuse, une espèce de parodie, quand Félicité, après son apoplexie, attend chaque jour la visite de son fils (elle sait que toute gentillesse envers elle, de sa part, vient de ce qu'il croit la volonté de sa femme morte, martyrisée par sa mère) :

« C'était, près de la troisième heure, l'instant de l'éponge offert à la victime. Ah ! plus amer que le fiel, sur ce visage tendu, était tant d'amour dont une autre qu'elle recevait l'offrande. Pourtant Félicité Cazenave éprouvait obscurément qu'il était bon qu'elle souffrît pour son fils ; mais elle ne savait pas qu'elle était crucifiée. » [9]

Il y a d'autres allusions religieuses. Et, bien qu'elles n'aient aucun sens systématique, aucun "message" à la manière du roman catholique, elles nous démontrent quand même que, dans ce premier roman écrit selon ses nouveaux préceptes, Mauriac n'arriva pas à s'émanciper complètement. Pour décrire "le misère de l'homme sans Dieu", il choisit une famille explicitement anti-religieuse. A côté de ces maîtres, il y a la simplicité croyante de la servante, Marie de Lados, qui s'exprime par des juxtapositions éloquentes quand, par exemple, elle fait réciter le

Credo à son petit-fils. Mais ces effets sont implicites ; nulle leçon n'en est tirée ; et si vers la fin, quand Marie vient et pose sa main sur le front de Fernand, elle est décrite comme ayant une "face de vierge noire" [10], cela pourrait n'être que l'image de la maternité, qui remplace la mère monstre.

Il n'y a pas de message religieux explicite, donc, dans ce roman. Mauriac commence, déjà, à pratiquer la leçon qu'il avait annoncée en mai. Mais l'atmosphère, les personnages, s'apparentent à ses romans antérieurs, et en particulier au *Baiser au lépreux* ; il n'y a pas beaucoup de changement en ce qui concerne la peinture des personnages, qui reste centrée sur le narrateur omniscient.

A première vue, *Le Mal*, publié par la revue *Demain* en avril 1924, semblerait un pas en arrière, qui étonnerait vu les nouvelles idées de Mauriac sur le roman. *Le Mal* est une rechute dans les pires excès du roman catholique traditionnel. On y trouve les grands thèmes de ce genre (bataille entre la pureté et la tentation, etc.), et aussi les techniques particulières : le frère du héros, Joseph, par exemple, avait offert "chaque minute de son agonie interminable" [11] pour son frère ; la mort de Joseph est l'événement qui sauve Fabien des tentations de Paris. Cette situation nous rappelle l'effet de la mort de la grand-mère dans *La Robe prétexte* [12], qui sauve le héros de ce roman des tentation de la chair à Paris ; mais le thème de la souffrance expiatoire s'y ajoute.

Il y a des raisons, cependant, qui nous expliquent ce pas en arrière apparent. D'abord, il faut se rendre compte que les premiers manuscrits de la nouvelle dont sortait ce roman remontent à 1917 et à 1918, et que les événements centraux du roman étaient déjà composés bien avant le changement que nous avons repéré dans les idées de l'auteur. En 1920, Mauriac avait proposé cette "longue nouvelle", qui s'appelait à cette époque *La Peur de Dieu*, à Grasset, la décrivant comme "l'histoire d'un cas de conscience catholique" qui pourrait "satisfaire" son "grand public catholique", déconcerté par *La Chair et le Sang*[13]. En 1921, écrivant à son ami Georges Duhamel, Mauriac parle de son travail sur cette nouvelle :

« A ce propos, vous m'avez dit que je ne parlerais plus de Dieu dans mes livres ? Or je suis pris par un sujet étrange qui s'appelle *La Peur de Dieu*. Je suis possédé comme par un démon. »[14]

Mais tout cela ne mena à rien, et les prochaines publications de Mauriac furent *Préséances*, *Le Baiser au lépreux*, *Le Fleuve de feu* et *Genitrix*. Ce ne fut qu'en décembre 1923, au moment de la publication de *Genitrix*, que Mauriac "reprit ce roman abandonné et rapidement le reconstruit"[15] ; le travail fut fait à la hâte.

On peut se demander pourquoi, au moment du grand succès de *Genitrix* ("Avec *Genitrix*, je connais la célébrité"[16]), Mauriac se soit décidé à ressusciter ce roman dans un style qu'il s'était résolu à éviter ; l'explication est assez simple. Mauriac l'a écrit "sur commande pour *Demain*"[17]. La revue lui avait demandé un roman ; il n'avait rien en préparation ; comme d'habitude, donc, il s'est servi de ce qu'il avait dans son tiroir sans s'occuper de la manière dont cela allait s'accorder avec son récent "roman à succès".

Avec horreur, Mauriac découvrit, en mai 1924, que Grasset, sans le consulter, s'était décidé à publier *Le Mal* (ce qu'il avait le droit de faire, selon son contrat). Il écrivit en hâte au directeur :

« Je suis étonné que Grasset ait décidé de publier *Le Mal* sans m'en rien dire. J'ai sur ce point un avis très net : si j'ai le prix, je comprends bien qu'une fois son effort épuisé sur *Genitrix*, Grasset veuille bénéficier, avec un nouveau livre, du bruit fait autour de mon nom. Mais, au cas beaucoup plus probable où je ne serais pas couronné, ce serait une erreur de rompre cette progression que j'ai suivie depuis l'Armistice et de publier un livre moins bon sur lequel la critique s'en donnera à cœur joie ! »[18]

Un mois plus tard, il écrivit à Grasset lui-même :

« Je ne saurais trop insister pour que vous renonciez à publier *Le Mal* cet été. Ce serait une grave erreur à ce moment de ma carrière. »[19]

Écrivant à son frère, il s'exprima même plus fermement :

« Moi qui croyais que *Le Mal* passerait inaperçu dans cette revue !... On trouve ce roman meilleur généralement que je ne le disais. C'est surtout le sujet qui m'horripile. *C'est ce que je ne veux plus faire.* »[20]

Il se mit néanmoins au travail pour remanier les premiers chapitres de ce roman, et pour en tirer une nouvelle qu'il allait publier sous le titre de *Fabien* en 1926 ; pour Mauriac, rien ne devait rester improductif, d'une manière ou d'une autre. Dans sa lettre à Grasset, il avait promis de donner *Le Mal*, après *Le Désert de l'amour*, quand le temps serait venu ; comme on le voit dans ses autres lettres à ses éditeurs ; il voulait à cette époque gagner autant d'argent que possible de ses écrits ; mais il ne voulait pas qu'une réaction critique contre *Le Mal* affecte le succès espéré du *Désert de l'amour*.

Le Mal, tel qu'on le publia dans *Demain*, nous fournit cependant un témoignage sur une facette qui ne semble pas, à première vue, importante, mais qui a une certaine pertinence pour notre étude des écrits de Mauriac à partir de cette date. Cette facette, c'est l'attitude de Mauriac envers l'enfance et l'adolescence. Nous verrons, dans *Le Désert de l'amour*, toute une nouvelle manière de traiter cette question, qui prend sa source dans les romans de Radiguet et de Colette, et dont les similitudes textuelles sont le signe extérieur de dettes plus profondes dues à ces auteurs, en ce qui concerne les techniques de la narration.

Dans les premiers manuscrits du *Mal*, 1917-1918, le héros est en proie, comme le dit si bien Jacques Petit, à une opposition "entre le monde qui est le mal et le pur univers de l'enfance. Une rupture se fait", précise Petit, "un peu manichéenne, que Jean Péloueyre vit aussi et mieux encore Daniel Trasis, dans *Le Fleuve de feu*"[21]. On pourrait ajouter que cette même rupture se fait sentir dès *La Robe prétexte*. Dans les romans de Mauriac jusqu'ici, l'enfance et la première adolescence avaient été traitées d'une manière très simple : elles étaient pures, et si l'expérience du grand monde (et en particulier de Paris) menait l'adolescent à l'impureté, ce personnage gardait quand même le souvenir de cette pureté première. Mais, à la fin de 1923 et au commencement de 1924, Mauriac introduisit, au commencement du *Mal*, le thème de la sensualité de *l'enfant* Fabien à l'égard de Fanny, et détruisit l'opposition originale, car maintenant c'est l'enfant qui est sensuel. Pour Mauriac, après sa lecture du *Diable au corps* et de *Chéri*, la jeunesse était devenue "l'âge de l'impureté", le printemps pouvait être "la saison de la boue".

Parmi les détails qui ont été ajoutés pour arriver à ce résultat, il faut signaler l'embrassement de Fanny par Fabien ; c'est Fabien, maintenant, qui mène la danse :

« Mais d'un Noël à l'autre, l'aimant qui l'attirait (Fanny) des extrémités de l'Europe à son insu se déplaça : venait-elle pour Thérèse Dézaymeries ou pour ce garçon qui, une après-midi de juillet, dans le salon clos que les enfants croyaient réservé à l'âme de leur père défunt, avait dénoué, brutal, deux bras nus autour de son cou ? »[22]

Ceci remplace, dans le texte imprimé, un premier jet, également de 1923 (et visiblement influencé par la scène entre Jérôme et sa tante dans *La Porte étroite*, de Gide), où c'est Fanny qui prend les devants, et Fabien dont la pureté en ressent un émoi :

« Elle ne sut plus si elle venait pour Lucile Dézaymeries ou pour le garçon de treize ans qui tout pâle s'arrachait de ses bras et du creux de ses genoux. »[23]

Plus tard, quand Fabien a seize ans, il y a un Noël où Fanny ne vient pas, et, dans un passage ajouté, Mauriac décrit l'inquiétude de la mère de Fabien face à ses réactions, et le jugement d'un prêtre qui laisse voir que la jeunesse est surtout portée à l'impureté ; quand cela prend le dessus, il n'y a presque rien à faire :

« La taciturnité du jeune garçon, ses silences, maints indices alarmèrent Mme Dézaymeries qui un jour enfin s'en ouvrit à son directeur. (...) Elle avait, disait-il, enfermé le loup dans la bergerie. Ses soins autour d'une jeune âme étaient perdus, le Malin l'ayant à loisir ensemencée. »[24]

Ce texte de 1923-1924 montre des ressemblances avec *Chéri* de Colette qui ne semblent pas tout à fait fortuites. Dans ce roman, la femme d'un certain âge, Léa, est séduite par le jeune Chéri (à l'âge de dix-sept ans), dans la chaleur d'été, dans le salon de sa mère, où il l'embrasse, nouant ses bras autour de son cou[25]. Et les réactions de Fabien, face aux premiers symptômes de l'âge sur le visage de Fanny, quand elle fait sa visite de Noël un an après la visite manquée, nous font penser au passage célèbre du commencement de la dernière partie de *Chéri*, lorsque Chéri se rend compte des changements dans l'apparence de Léa, qu'il n'a pas revue depuis son mariage (et aussi aux descriptions de Léa par elle-même, à son retour à Paris)[26] :

« Muet d'émoi, Fabien la contemplait surgissant de ces deux années, et il ne la reconnaissait pas : c'était moins un vieillissement, une usure, qu'une diminution, une déchéance, des cheveux plus ardents, un maquillage brutal, et ce lourd et doux arôme autour de son corps épaissi. »[27]

En marge du manuscrit de 1923, à cet endroit, Mauriac a écrit une note qui résume la nouvelle signification qu'il voulait désormais donner à la situation :

« Il voit Fanny vieillie et l'attrait qu'il éprouve se désexualise. – Elle voit Fabien homme et son amour pour lui devient charnel. »[28]

L'enfant avait donc, dans cette nouvelle version, mené la danse en ce qui concernait ses relations avec Fanny, sans que Fanny ait eu aucun désir à cette époque de le faire marcher ; ce n'est que plus tard, quand il aura dix-sept ans, qu'elle s'éprend de lui, et c'est à cette même époque, pas pour des raisons de pureté mais pour des raisons purement charnelles, que l'amour du garçon "se désexualise".

Ces détails, dans *Le Mal*, sembleraient d'une minime importance ; mais ils nous servent de points de repère pour juger les influences qui ont amené Mauriac, dans *Le Désert de l'amour* (publié en feuilleton en novembre 1924-janvier 1925) à créer un roman tout à fait différent de ceux qui l'ont précédé. Car si, d'une part, la nouvelle conception de l'adolescent, que nous avons repérée dans les changements opérés dans *Le Mal*, surgit d'une manière bien plus complète et plus satisfaisante dans ce nouveau roman, d'autre part l'influence sur Mauriac de deux romanciers de l'adolescence va beaucoup plus loin. C'est à travers ses lectures de Colette et de Radiguet que Mauriac parvient à construire un roman moderne.

Les techniques du *Désert de l'amour* sont admirables. On y trouve, derrière l'apparente assurance communiquée par les sentences nombreuses, par les maximes générales, une ambiguïté et une incertitude qui met en doute tout jugement et toute certitude. L'ambiguïté du roman moderne y fait sa première irruption dans l'œuvre de Mauriac, et reparaîtra, renforcée, dans *Thérèse Desqueyroux* (1926-1927).

Comme nous l'avons vu, déjà avec *Genitrix*, Mauriac avait réussi à s'abstenir d'un message chrétien explicite. Mais si les vieilles techniques du "roman catholique" avaient été abandonnées, les nouvelles tirées du roman moderne n'étaient pas encore prêtes. *Genitrix* se situait, donc, à mi-chemin de la route qui menait au *Désert de l'amour*.

Que s'était-il passé entre temps ? Je soutiens que ce fut surtout la leçon de Radiguet qui poussa Mauriac dans une nouvelle direction. Cette influence se manifeste, d'abord, dans des similitudes textuelles ; mais ce sont ces similitudes de surface qui nous indiquent des influences plus importantes en ce qui concerne les techniques du roman.

Jusqu'ici, l'influence des auteurs profanes contemporains s'était manifestée chez Mauriac surtout dans le contenu (et en partie dans le style) de ses romans. Des réminiscences de Proust, par exemple, se trouvent dans *La Robe prétexte* d'avant-guerre[29] ; dans *Préséances*, non seulement les thèmes mais aussi le style de Proust y trouvent des échos[30]. Mais en ce qui concerne la structure des romans, ou la peinture des personnages, Mauriac était resté, à cette époque, loin de la littérature moderne. C'est avec *Le Désert de l'amour* que la nouvelle littérature commence.

Avant de discuter des nouvelles techniques qui se font jour dans *Le Désert de l'amour*, il est utile de repérer quelques-uns des parallèles textuels qui lient ce roman à celui de Radiguet.

Le Diable au corps parut en mars 1923. Écrit par un jeune homme de dix-neuf ans, il eut un succès de scandale, d'abord parce que c'était l'histoire d'un écolier qui a une liaison avec une femme plus âgée, et ensuite parce que cette liaison se poursuivait en pleine guerre, et que la maîtresse du héros était la femme d'un combattant. Cet aspect du roman, qui semble mineur aujourd'hui, à côté de ses autres attributs, a provoqué de vives réactions à l'époque de sa parution, qui ont masqué ses vraies qualités ; et il faut avouer que, même aujourd'hui, le sujet de ce roman aveugle beaucoup de ses lecteurs, qui en goûtent le fond sans en apprécier la forme.

Le Diable au corps est un exemple exceptionnel de roman psychologique. En apparence très simple, écrit d'un style classique et dépouillé, cet ouvrage recèle des complications, des ambiguïtés et des nuances illimitées. La narration à la première personne, par un narrateur qui est le jeune héros du roman à un âge légèrement plus avancé, nous met en garde en ce qui concerne ses jugements, car il partage à certains moments les attitudes du héros au moment de l'action de l'histoire ; et nous devons lire derrière les paroles du narrateur les allusions discrètes et ambiguës que l'auteur nous fournit quant à une juste interprétation de ce qui se passe. Même les "sentences" du narrateur, qui sembleraient aussi dignes de confiance que celles de la littérature classique, se révèlent suspectes. Ce roman nous démontre l'impossibilité de déchiffrer non seulement les sentiments et les pensées des autres, mais aussi ceux de soi-même [31].

Deux semaines après la parution de ce roman, Mauriac y consacra un compte rendu très favorable, qui l'inscrivit parmi les rares critiques qui, à l'époque, passaient sous silence le côté "succès de scandale" du livre, pour rendre compte de son mérite littéraire exceptionnel [32]. Mauriac continua à priser l'œuvre de Radiguet pendant tout le reste de sa vie. Dans *Mes grands hommes*, qui parut en 1949, par exemple, Radiguet continue à occuper une place d'honneur.

Le sujet du *Diable au corps*, la liaison d'un écolier avec une femme plus âgée, se reflète obscurément dans la situation centrale du *Désert de l'amour*, sans pour cela en être un reflet exact. Mais que Mauriac choisisse un tel sujet si peu de temps après le scandale du *Diable au corps*, voilà quelque chose qui fait rêver. Le roman de Raymond Radiguet parut en mars 1923 ; le roman de Mauriac fut écrit pendant l'été, et complété en septembre.

C'est dans le personnage de Raymond que nous trouvons les parallèles les plus évidents entre les deux romans. Radiguet avait dépeint d'un œil perspicace les malentendus, les angoisses et les inquiétudes de la première adolescence. Il les voyait sans idées préconçues, et sans aucune trace de ce romantisme de la jeunesse qui obsédait les auteurs d'avant-guerre. La jeunesse n'est pas toujours pure ; un érotisme inné est central à sa psychologie. Mais, à côté de cet érotisme, Radiguet dépeignait toutes les inquiétudes de la jeunesse. Le héros est timide mais, en même temps, il veut se faire valoir. Il est fanfaron, et veut être adulte, mais se trouve confus et maladroit en face des événements. Comme le Julien Sorel de Stendhal ("Ai-je bien joué mon rôle ?") [33], il se laisse toujours influencer par ce qu'il croit devoir jouer. Le procédé est artificiel ; et il n'arrive pas à jouer le "rôle" d'une façon convaincante, précisément à cause de sa timidité, de sa peur du ridicule, de toutes les caractéristiques qui lui ont fait chercher ce rôle. Il est gouverné par ses lectures, au point de fonder ses actions sur une idée artificielle et livresque de la conduite qu'il faut adopter. Surtout, il est gouverné par l'amour-propre, et réagit violemment s'il croit qu'on se moque de lui. Et il ne comprend presque jamais ce qui se passe en réalité.

On verra immédiatement les ressemblances avec Raymond Courrèges. Mais c'est dans les détails de la peinture de Raymond que l'influence de Radiguet se précise. Comme tous les jeunes, le héros de Radiguet avait exagéré et dramatisé les événements, en imaginant des scènes romantiques conformes à ce qu'il rêvait de la vie. Quand il voyait la bonne d'un voisin, qui, devenue folle, se tenait sur le toit de la maison, il l'imaginait "comme sur un pont de navire pavoisé", et comme "quelque fille, capitaine corsaire, restant seule sur son bateau qui sombre". La maison où elle avait vécu, il la voyait comme "la maison du crime" [34]. De même Raymond, assis dans le tramway, s'imagine dans une situation romantique :

« Bien loin de souffrir d'être chaque soir confondu dans cette cargaison humaine, il se persuadait d'être un émigrant ; il était assis parmi les voyageurs de l'entrepont et le vaisseau fendait les ténèbres ; les arbres étaient des coraux, les passants et les voitures, le peuple obscur des grandes profondeurs. » [35]

Également, le tramway, regardé par Raymond, est décrit comme le *Titanic* :

« Le grand rectangle jaune s'enfonçait dans une

demi-campagne, plus illuminé que le *Titanic*, et roulait entre des jardinets tragiques, submergés au fond de l'hiver et de la nuit. »[36]

Et, lorsqu'au milieu de la nuit Raymond saigne copieusement du nez, son imagination va beaucoup plus loin :

« Il se levait et, transi, regardait dans la glace son long corps maculé d'écarlate, essuyait à sa poitrine ses doigts gluants de sang, s'amusait de sa figure barbouillé, feignant d'être à la fois l'assassin et l'assassiné. »[37]

Comme le héros de Radiguet, Raymond fonde ses idées à l'égard des femmes et de l'amour sur deux sources : la lecture, et l'influence d'un ami. Nous examinerons plus tard l'importance des lectures ; regardons d'abord l'influence des amis, et la timidité des héros en ce qui concerne les "rôles" que ces amis leur ont attribués.

Dans la nécessité où ils se trouvent de jouer un rôle, Raymond Courrèges et le héros du *Diable au corps* écoutent volontiers les avis cyniques de leurs contemporains. Pour l'ami René, dans *Le Diable*, "l'amour, dans l'amour, semblait un bagage encombrant"[38]. Et René de se moquer du héros à cause de sa passion sincère pour Marthe. Bien que le narrateur ne dise rien d'explicite, nous voyons le héros, quelques phrases plus tard, "commenc(er) à s'endormir sur l'amour de Marthe"[39], et parler cyniquement, dans son absence, de l'importance de la sexualité, d'une manière qui jure avec tout ce qu'il a dit au sujet de l'amour jusqu'ici. De même, Raymond suit les mises en garde de son ami Papillon :

« Elle veut te faire marcher, lui avait répété Papillon. Ne la laisse pas manœuvrer. »[40]

Il se répète les mots de son ami, et ces mots gouvernent sa conduite :

« Maria (...) concentra sa pensée sur le visage chéri
de l'enfant si pur (qu'elle voulait croire si pur), et qui,
pourtant, à cette minute, hâte le pas, fuit le mauvais
temps, et songe : « Papillon dit qu'il vaut mieux brus-
quer les choses ; il dit : "Avec ces femmes-là, la brutalité il n'y a que ça, elles n'aiment que ça"... » Et per-
plexe, le garçon regardait le ciel grondant, et tout d'un
coup il se mit à courir, sa pèlerine sur la tête, prit par
le plus court, sauta un massif, aussi agile qu'un bou-
quetin. »[41]

Comme le héros du *Diable au corps*, Raymond
succombe toujours à la timidité. Timidité en face de
Maria Cross, timidité devant les événements de la vie.
Dans *le Diable au corps*, le héros, voulant passer la
nuit à Paris avec Marthe, est trop timide pour entrer
dans un hôtel :

« Il nous fallait donc coucher à l'hôtel. Je n'y étais
jamais allé. Je tremblais à la perspective d'en franchir
le seuil.(...) Nous errions sous la pluie glaciale, entre
la Bastille et la gare de Lyon. A chaque hôtel, pour ne
pas entrer, j'inventais une mauvaise excuse. »[42]

De même, Raymond Courrèges, tandis que Maria
continue à penser à lui comme à un "ange", se propose d'emmener Maria dans un hôtel, et reste, lui
aussi, trop timide pour y entrer :

« Rien ne l'avertissait qu'en sa présence il songeait
seulement au parti qu'il devait prendre : louer un
garni ? Papillon connaissait une adresse... mais ce
n'était pas assez bien pour une femme comme ça.
Papillon disait qu'au *Terminus* on peut louer une
chambre à la journée ; il aurait fallu se renseigner, mais
Raymond avait passé et repassé devant le bureau de
l'hôtel sans se résoudre à y pénétrer. Il entrevoyait
d'autres difficultés, se faisait des montagnes. »[43]

Quand Raymond hésite devant la possibilité

d'être observé, lors de sa visite à Maria, nous voyons encore une fois un reflet du roman de Radiguet, où le héros est torturé par le "ridicule" d'être observé par le garçon laitier. La phobie de Raymond, face à un jardinier inexistant, tient de la même réaction :

« –Qu'est-ce qu'il faudra que je dise au jardinier ?

Dans une allée déserte du parc Bordelais, Maria Cross s'efforce de décider Raymond à venir chez elle, où il ne risque plus de rencontrer personne. Elle insiste et a honte d'insister, se sent corruptrice en dépit d'elle-même. Cette phobie de l'enfant qui naguère passait et repassait devant un magasin sans oser entrer, comment n'y verrait-elle pas le signe d'une pure alarme ? Et c'est pourquoi elle proteste :

– Surtout, Raymond, n'allez pas croire que je veuille... n'allez pas imaginer...

– Ça m'embête de passer devant le jardinier.

– Mais puisque je vous dis qu'il n'y a pas de jardinier (...)

– Alors vous dites qu'il n'y a pas de jardinier... mais les domestiques ? » [44]

Raymond a peur du ridicule : "J'aurais l'air d'un idiot", dit-il à un moment donné. Il est à la fois timide et fanfaron. Sa première réaction, quand il connaît le nom de la femme qu'il a rencontrée, est de l'orgueil :

« Il respirait le soir comme si l'essence de l'univers y eût été contenue et qu'il se fût senti capable de l'accueillir dans son corps dilaté. Maria Cross avait le béguin pour lui... Le dirait-il à ses camarades ? Mais aucun ne voudrait le croire. Déjà apparaissait l'épaisse prison de feuilles où les membres d'une seule famille vivaient aussi confondus et séparés que les mondes dont est faite la Voie lactée. Ah ! cette cage n'était pas à la mesure de son orgueil, ce soir. » [45]

Dans tout cela, il ressemble au héros du *Diable au*

84

corps ; et cette tension entre la timidité et l'effronte-
rie qui marque celui-ci, on la retrouve dans la scène
où Maria manque de reconnaître chez Raymond
"cette rage du peureux qui a décidé de vaincre, du
lâche résolu à l'action" [46]

Les parallèles qui foisonnent entre les deux
romans nous précisent l'attitude nouvelle de Mauriac
envers la jeunesse et la première adolescence, et ils
nous démontrent jusqu'à quel point l'influence de
Radiguet était importante dans ce développement.
Mais ces parallèles nous révèlent quelque chose de
bien plus important en ce qui concerne le développement de nouvelles techniques narratives chez
Mauriac. C'est à travers l'exemple du *Diable au corps*
que Mauriac s'est enfin révélé comme un romancier
de la nouvelle génération. L'ambiguïté règne dans son
roman, et parmi les techniques pour réaliser cette
ambiguïté, il y en a plusieurs qu'on trouve aussi chez
Radiguet. L'utilisation des sentences, par exemple : *Le
Désert de l'amour* en est rempli. Bien sûr, Mauriac
s'était servi de ce mécanisme dans ses romans antérieurs, mais beaucoup plus modérément, et on pouvait d'habitude se fier à ces formules, qui étaient des
produits de l'esprit de l'auteur. Ici, la floraison des
sentences nous rappelle l'atmosphère du roman de
Radiguet ; et Mauriac, lui aussi, nous fait maintenant
douter de l'efficacité de ce procédé. Il décrit Paul
Courrèges, par exemple, comme suit :

« Selon sa coutume de travailleur qui réduit tout
en formules, il avait prononcé : "Dès que nous
sommes seuls, nous sommes des fous. Oui, le contrôle
de nous-mêmes par nous-mêmes ne joue que soutenu
par le contrôle que les autres nous imposent". » [47]

Le nouveau Mauriac se rend compte que les
mots n'arrivent jamais à décrire la complexité de la

85

psychologie humaine, et que ni les sentences des personnages, ni les explications d'un narrateur omniscient, n'arriveront à la dénouer :

« Qui de nous possède la science de faire tenir dans quelques paroles notre monde intérieur ? Comment détacher de ce fleuve mouvant telle sensation et non telle autre ? On ne peut rien dire dès qu'on ne peut tout dire. »[48]

Cette découverte, que la psychologie humaine ne se prête pas à une explication claire de ses rouages, est reflétée, comme nous l'avons déjà vu, dans l'essai sur *Le Roman* de 1927. Elle mène Mauriac, dans *Le Désert de l'amour*, à utiliser des techniques toutes nouvelles pour exprimer cela d'une manière plus implicite. Une étude de toutes ces nouvelles techniques remplirait un livre entier ; je me bornerai, ici, à regarder de près deux d'entre elles : la peinture, à travers les lectures des personnages, de l'impossibilité de comprendre la nature des autres, et sa propre nature ; et la peinture d'une personnalité féminine à travers le monologue intérieur.

Les nouvelles subtilités survenues dans ces techniques de Mauriac, par rapport aux lectures de ses personnages, recèlent encore une influence de Radiguet[49]. Pour étudier cette manière, il sera d'abord utile de la comparer aux techniques utilisées par Mauriac dans ses romans jusqu'ici. Dès les premiers romans de Mauriac, des références aux lectures des personnages avaient joué un grand rôle. Les héros de ces romans, surtout, étaient très "littéraires". Jean-Paul, dans *L'Enfant chargé de chaînes*, citait volontiers Huysmans, Barrès, Henri de Régnier, Jammes. Sa conversation nous montrait un jeune homme fier de ses connaissances littéraires, et qui voulait se situer

86

dans la vie littéraire de son époque. Si ces descriptions de Jean-Paul sont parfois ironiques, il n'en reste pas moins vrai que ses lectures reflètent, pour la plupart, les lectures de Mauriac lui-même. Comme avec la plupart des héros de Mauriac, dans cette première période, ces citations servent plutôt à démontrer la culture littéraire de l'auteur lui-même.

Ce qu'il faut noter, c'est la manière très évidente dont l'auteur nous mène à nos conclusions. Quand, dans les premiers romans, il y a des distinctions à faire entre les personnages, la caractérisation de ces personnages est très large et très simpliste. Leurs lectures sont contrastées, et l'auteur nous mène là où il veut que nous arrivions, et aux conclusions qu'il nous a préparées.

Il convient de noter une autre technique dont Mauriac se sert dans plusieurs des romans de sa première période : la description d'une bibliothèque qui nous aide à "situer" le personnage qui la possède. La bibliothèque de Marthe, dans *L'Enfant chargé de chaînes*, celle de May dans *La Chair et le Sang*, et celle du fils Pieuchon dans *La Robe prétexte*, nous disent beaucoup en ce qui concerne les préoccupations et les aspirations de ces personnages.

Mais partout dans ces romans, l'auteur et son narrateur nous *expliquent* toujours, en détail, les conséquences de ces lectures. Dans un passage de *La Robe prétexte*, par exemple, qui anticipe un thème important du *Désert de l'amour*, le narrateur décrit la manière dont il lisait secrètement la *Tentation de saint Antoine*, de Flaubert :

« Mais je n'attendis point la trente-deuxième proposition d'Euclide pour glisser l'austère livre sous une *Tentation de saint Antoine*, de Flaubert (...) Sœur Marie-Henriette lisait à voix presque basse et ne me détournait pas de m'enivrer des confidences que fait à Antoine l'Hélène des Troyens : "Un soir, debout, et le cistre à la main, je faisais danser des matelots grecs. La pluie, comme un cataracte, tombait sur la taverne, et les coupes de vin fumaient..." »

Mais, immédiatement, le narrateur intervient pour contredire l'impression qu'il a donnée, en citant d'autres œuvres qui avaient servi à maintenir sa pureté :

« En dépit de tous ces troubles, je demeurai pur parce que je découvris en même temps Charles de Montalembert, Henri Lacordaire, Albert de La Ferronnays, Alexandrine d'Alopeus, Eugénie de Guérin – âmes tout au Christ et tout au monde, croyais-je, âmes délivrées du choix, ivres à la fois de gloire humaine et d'amour divin, à qui l'amitié donnait de plus rares joies que n'en donna l'amour au commun des hommes. » [50]

Cette manipulation du lecteur, qui ne lui donne aucun travail à faire, et où tout lui est expliqué, reste la technique de Mauriac même dans *Le Baiser au lépreux*, comme nous l'avons déjà vu [51]. Ce n'est qu'avec *Le Désert de l'amour* que nous voyons une révolution dans l'utilisation des lectures des personnages. Cette nouvelle technique domine le roman tout entier. Rien n'est imposé au lecteur par un narrateur omniscient. Tout consiste en suggestions, en possibilités.

Bien que, pour la plupart (avec de très intéressantes exceptions), Mauriac nous livre le nom des ouvrages que lisent ses personnages, dans ce roman il le fait avec désinvolture, ne signalant plus d'une manière explicite le sens de ce qui se passe, ne citant ces livres qu'à des moments où cela ne semble avoir aucune importance (ou une importance différente par rapport à la réalité sous-jacente), laissant au lecteur le soin d'établir les relations possibles.

L'intrigue du *Désert de l'amour* se tisse sur une série de malentendus. Personne, dans ce roman, ne comprend la nature des autres personnages. Mme Courrèges ne comprend pas son mari le docteur, qui ne comprend pas non plus son fils ; Larousselle ne comprend pas Maria Cross. Et au centre du drame il y a quatre grands malentendus : celui de Raymond à l'égard de Maria, et celui de Maria à l'égard de Raymond, ces deux malentendus qui produisent le drame central culminant dans la scène affreuse qui fait de Raymond, désormais, un homme blessé ; et, d'une manière secondaire, les malentendus du docteur en ce qui concerne la nature de Maria, et de Maria en ce qui concerne le docteur.

Or, ces malentendus peuvent très bien s'expliquer tout simplement par les caractères des personnages, et par leur incapacité à comprendre quoi que ce soit en dehors d'eux-mêmes. Le roman nous démontre, de cette manière, cet aspect de la condition humaine qui consiste dans l'impossibilité de la communication. Mais, au deuxième plan, il y a toute une série de références intertextuelles qui soulignent ce message en mettant en avant l'importance de nos expériences imaginaires, puisées dans les livres (de quelque manière qu'on les lise).

Prenons d'abord Raymond. Nous avons déjà décrit [52] sa capacité de "romancer" la réalité en prêtant aux choses les plus banales une apparence romantique. Ces caractéristiques de Raymond forment l'arrière-plan sur lequel les influences livresques peuvent jouer. Et Mauriac nous donne des indices dès le commencement du roman en ce qui concerne la nature de ces influences. Dans le bar de la rue

Duphot, Raymond, en voyant Maria Cross, voyage dans le passé et se souvient du tramway dans lequel il l'a vue pour la première fois :

« Mais que faire, ce soir, contre ce torrent de visages déchaîné en lui par la présence de Maria ? Il entendait sonner six heures et les pupitres de l'étude claquaient ; il n'y avait pas même assez plu pour que la poussière fût rabattue, le tramway n'était pas assez éclairé pour qu'il pût achever de lire *Aphrodite* – tramway plein d'ouvriers à qui la fatigue du jour fini donnait une expression de douceur [53] ».

La mention d'*Aphrodite* pourrait sembler tout simplement une référence qui démontrerait le caractère de l'adolescent ; le même livre avait servi à ces fins déjà dans *Le Baiser au lépreux*, où il avait figuré dans la bibliothèque du fils Pieuchon, pour dépeindre les goûts de celui-ci. Au commencement du chapitre III du *Désert de l'amour*, le même livre est cité encore une fois, apparemment dans ce but :

« Il était, aux yeux des bons élèves, le sale type dont on raconte qu'il cache dans son portefeuille des photographies de femmes et qu'il lit à la chapelle, sous une couverture de paroissien, *Aphrodite*. » [54]

Mais entre ces deux références, qui ne semblent avoir trait qu'à une description du caractère de Raymond, il y a eu les deux scènes, au chapitre II, dans la famille Courrèges, où il a été question de Maria Cross. Raymond, qui a observé les querelles entre son père et sa mère sans y prendre part, s'est rendu compte que son père connaît Maria, la femme entretenue. A la fin du chapitre, Raymond, pour la première fois (nous avons déjà vu les difficultés de communication entre père et fils), veut que son père lui parle :

« Dans la voiture, l'écolier observait son père avec une curiosité ardente, avec le désir de recevoir une confidence. Voici la minute où ils eussent pu se rapprocher, peut-être. Mais le docteur était alors en esprit bien loin de ce garçon, dont il avait si souvent voulu la capture ; la jeune proie s'offrait à lui, maintenant, et il ne le savait pas. » [55]

Rien ne nous est expliqué, mais tout nous est suggéré. La lecture d'*Aphrodite* explique en partie, déjà, l'attitude de Raymond, quand il écoute sa famille parler de "cette femme entretenue au vu et au su de toute la ville". Et c'est la lecture de cette même *Aphrodite*, dont nous n'entendons plus parler dans le roman à partir de ce moment, qui régit les idées de Raymond à l'égard de Maria Cross même avant qu'il ne la rencontre.

L'*Aphrodite* de Pierre Louÿs, que beaucoup d'entre nous, j'en suis sûr, ont lu à l'école de la même manière que Raymond, est un roman qui frise la pornographie, et qui a, comme héroïne, une courtisane d'Alexandrie. Les scènes érotiques de ce livre l'ont rendu célèbre ; tout se passe dans la décadence des temps classiques, période favorite des écrivains fin de siècle, dont Louÿs, malgré son amitié avec Gide, fut un exemple attardé.

Pour Raymond, donc, la "femme entretenue" devait être une femme lascive, érotique, désordonnée, habituée au vice. Quand Maria Cross, après leurs rencontres dans le tramway, lui révèle son nom, il est confondu par la distance entre son imagination et la réalité :

« Maria Cross... c'était elle qui le dévorait des yeux maintenant... Il l'aurait crue plus grande, plus mystérieuse. Cette petite femme en mauve, c'était Maria Cross. » [56]

Mais c'est la courtisane imaginaire qui prend le dessus dans son esprit. Il est plein d'orgueil parce que

"Maria Cross a le béguin pour (lui)", et, chez lui, il trouve impossible de ne pas prononcer son nom :

« Tous ces gens, qu'ils lui paraissaient petits ! Il planait dans le soleil. Seul son père lui semblait proche. Il connaissait Maria Cross, lui ! il avait été chez elle, l'avait soignée, l'avait vue au lit, avait appuyé sa tête contre sa poitrine et son dos... Maria Cross ! Maria Cross ! ce nom l'étouffait comme un caillot de sang ; il en sentait dans sa bouche la douceur chaude et salée, et enfin le tiède flot de ce nom gonfla ses joues, lui échappa : "J'ai vu Maria Cross, ce soir." » [57]

Quand Raymond discute de Maria avec son père, il projette la même image d'une courtisane dissolue (tandis que son père, comme nous verrons, projette une image également fausse, à laquelle il est arrivé par d'autres erreurs de compréhension).

« Rapprochés par le désir de louer ensemble Maria Cross, le père et le fils, dès les premières paroles, ne s'entendirent plus : Raymond soutenait qu'une femme de cette envergure ne pouvait que faire horreur à de pauvres dévotes ; il l'admirait pour sa hardiesse, pour son ambition sans frein, pour toute une vie dissolue qu'il imaginait. Le docteur protesta qu'elle n'avait rien d'une courtisane (...) » [58]

Mais l'idée fixe de Raymond est fortifiée par les avis de son ami Papillon : "Avec ces femmes-là, la brutalité il n'y a que ça, elles n'aiment que ça" [59]. Après la première visite chez Maria, où elle n'a fait que parler avec émotion de son fils mort, Raymond, tout en restant obsédé par l'image de la courtisane, y ajoute, de par les leçons de ses maîtres, l'image de la courtisane perfide :

« Maria Cross l'entourait comme une armée rangée en bataille ; les anneaux de Dalila et de Judith tintaient à ses chevilles ; aucune traîtrise, aucune feinte dont il ne crût capable celle dont les saints ont redouté le regard à l'égal de la mort. »[60]

Cette nouvelle image de la courtisane vient, on le voit, de la Bible ; et il est même possible d'y voir l'influence d'une autre lecture – celle que le héros de *La Robe prétexte* avait pratiquée un peu à la manière de Raymond à l'égard d'*Aphrodite*, sous les yeux des adultes : *La Tentation de saint Antoine*.

Chez Maria elle-même, l'utilisation des lectures est plus subtile encore. A plusieurs reprises, nous apprenons qu'elle lit beaucoup. Quand le docteur décrit à son fils l'indolence de Maria lors de son mariage, il lui dit : "Elle préférait lire toute la journée, vêtue d'une robe de chambre déchirée, les pieds nus dans ses pantoufles"[61]. Plus loin, ayant écrit à Raymond, Maria "passa en robe de chambre une journée de lecture, de musique et de paresse".

Le docteur la décrit, dans la scène avec son fils, comme une "intellectuelle", mais, déjà, nous sentons que cela n'est pas nécessairement son jugement à lui, mais un reflet de l'idée que Maria a d'elle-même, car le mot "intellectuelle" est mis entre guillemets :

« Quand elle s'est trouvée veuve avec un enfant et qu'il a fallu travailler, tu imagines assez comme cette "intellectuelle" a dû se sentir démunie... »

Maria elle-même avait souligné la nature factice de cette "intellectualité", de la même manière, en décrivant les soirées avec les amis de Laroiusselle :

« Qu'y avait-il de répréhensible à présider cette tablée d'imbéciles ?... Sans doute éprouvais-je tout de même une sorte d'enivrement à briller devant eux... je jouais à "l'intellectuelle"... Je sentais que le patron était fier de moi... »[62]

Mais il y a des indications, derrière cette utilisation

du mot "intellectuel", et malgré les aspirations de Maria, qui nous signalent que l'héroïne, tout en lisant beaucoup, ne lit pas d'une manière intelligente. Quand, comme dans les autres romans de Mauriac, un personnage (le docteur Courrèges) examine la bibliothèque d'un autre personnage (Maria), ce ne sont pas ici les titres des livres qui nous intéressent, mais leur état :

« Que de livres ! Mais aucun dont les dernières pages fussent coupées. [63]

Plus tard, Maria avoue au docteur : "Je ne saurais venir à bout du *Voyage de Sparte :* vous pouvez la reprendre" » [64]

Maria, de toute évidence, n'arrive pas à lire d'une manière continue. Elle feuillette, elle retire des livres des citations toutes faites, dont elle parsème ses lettres et sa conversation, et nous avons de temps en temps l'impression qu'elles sont tirées du *Dictionnaire des idées reçues* de Flaubert :

« C'est absurde, je le sais : mais le cœur a ses raisons, comme dit Pascal. » [65]

Dans ses romans antérieurs, Mauriac aurait signalé clairement et explicitement au lecteur ces détails ; dans *Le Désert de l'amour* il laisse au lecteur le soin de les deviner. Ce changement dans sa technique est démontré par une citation en particulier ; il se sert de la même citation dans *Le Fleuve de feu* et dans *Le Désert de l'amour*.

Dans *Le Fleuve de feu* Mauriac avait cité Maeterlinck dans la bouche de Gisèle de Plailly, en soulignant explicitement la suffisance simpliste de Gisèle en ce qui concerne la littérature :

« Elle montra qu'elle avait des lettres en citant une phrase de Maeterlinck touchant les âmes qui se connaissent sans l'intermédiaire des corps. » [66]

Dans *Le Désert de l'amour* Maria se sert de la même phrase, dans une lettre au docteur : mais quelle différence !

« Votre exemple, vos enseignements me suffisent ; nous sommes unis au-delà de toute présence. Comme l'a écrit excellemment Maurice Maeterlinck : "Un temps viendra, et il n'est pas loin, où les âmes s'apercevront sans l'intermédiaire des corps" » [67]

Ici, nulle aide à notre compréhension. Mais, puisque tout ce que nous avons vu nous dirige *implicitement* vers la même interprétation que Mauriac nous avait donnée *explicitement* dans le cas de Gisèle de Plailly, l'effet est plus subtil et en même temps plus frappant.

Il y a encore un effet inattendu, une page plus loin, où nous apprenons implicitement que c'est le docteur, qui dirige les lectures de Maria, qui a dû insister auprès d'elle sur cette phrase de Maeterlinck, car la même phrase a été d'une grande importance pour lui (bien que l'importance fût liée, chez le docteur, pas nécessairement à la supériorité de l'âme, mais plutôt à l'infériorité des corps !) :

« Ah ! cette phrase de Maeterlinck touchant les âmes qui s'apercevront sans l'intermédiaire des corps, que de fois l'écouta-t-il en lui, pendant que le client raconte son cas avec des détails sans fin, ou lorsque affolé, ânonne le candidat qui ne sait pas ce qu'est une hémoptysie ! » [68]

Toutes les lectures mal digérées de Maria la mènent à un romantisme et à un comportement théâtral, qui font d'elle une personne incapable d'exprimer ses vrais sentiments, incapable même de les connaître. Elle parle d'une manière "littéraire", surtout dans les moments d'émotion. Quand le docteur vient la voir après sa chute, la manière dont Maria s'exprime « inspira à Justine cette réflexion : "Madame parle comme un livre" » [69]. Quand le docteur relit les lettres que Maria lui avait écrites, il s'inquiète de leur style :

« Il imagine la moquerie de Raymond lisant cette lettre, s'en indigne, proteste à mi-voix comme s'il n'était pas seul : "Du chiqué" ? C'est l'expression chez elle qui est toujours trop littéraire. » [70]

Maria s'imagine, en plus, dans des situations romanesques ou théâtrales. Quand elle hésite avant de révéler à Raymond son nom, par exemple :

« "Quand vous saurez qui je suis..." (Elle ne put se défendre de songer au mythe de Psyché, de Lohengrin). » [71]

Il y a une ironie dans tout ceci : c'est le docteur lui-même qui a dirigé les lectures de Maria, comme on le voit à plusieurs reprises. C'est à travers ses lectures que Maria a trouvée l'idée de la pureté des relations idéales entre les êtres humains. C'est par ce "romantisme de la pureté" qu'elle s'est fabriqué l'impression de "l'adolescent pur" qu'elle projette sur Raymond, et qui est aussi fausse que l'impression que Raymond projette sur elle. Ces deux fausses impressions, créées toutes deux par la lecture, mènent inexorablement à la crise centrale du roman.

Mais il y a une autre ironie, même plus amère. Ce même Docteur Courrèges, qui a inspiré cet amour de la pureté, désire Maria d'une toute autre manière, lui aussi :

« Tant de vertu le désespérait et (...) c'était son martyre que leurs rapports se fussent établis dans le sublime. » [72]

On pourrait continuer. Les nouvelles techniques qu'on trouve dans *Le Désert de l'amour* sont d'une variété inépuisable. Si j'ai choisi une technique en particulier, l'utilisation des lectures des personnages, c'est parce que ce procédé est particulièrement riche, et qu'on peut distinguer très nettement, à travers elle, les différences entre les nouvelles techniques et celles dont Mauriac s'était servi jusqu'ici. Elle nous mène, en plus, vers l'aspect le plus important du Mauriac "nouveau style" : la peinture subtile et compliquée de la psychologie des personnages, et en particulier des personnages féminins. Maria Cross est la première (après Lucile de Villeron) dans une succession d'héroïnes chez qui les vieilles certitudes balzaciennes ne comptent plus : Maria Cross, Thérèse Desqueyroux, Élisabeth Gornac.

L'ambiguïté du caractère de Maria Cross n'a rien à faire avec toutes les simplifications tellement différentes que lui attribuent les Courrèges père et fils, Victor Larousselle, Gaby Dubois, etc. Elle n'a rien, non plus, à faire avec les simplifications trop littéraires de son propre caractère et de ceux des autres. Femme frigide, femme sensuelle, (même, peut-être, si on écoute certaines insinuations de Gaby Dubois, femme lesbienne) ? Femme avide de pureté, femme ouverte aux plaisirs interdits ? Femme paresseuse, femme sentimentale ? De chaque angle que les autres la regardent, elle paraît différente. Et elle ne sait plus elle-même. Elle se questionne, s'examine, sans être certaine de rien. Prenons, par exemple, son monologue intérieur quand elle attend Raymond chez elle :

« "Mais, si je renonce à l'amendement de ma vie extérieure, il reste de ne plus rien me permettre que ma conscience réprouve, ou dont elle s'inquiète. Ainsi ce petit Courrèges..." C'était entendu, elle ne l'attirait chez elle que pour la seule douceur déjà connue dans le tram de dix heures : le réconfort d'une présence, une contemplation triste et unie – mais ici, goûtée de plus près que dans le tram, et plus à loisir.

Rien que cela ? rien que cela ? Lorsque la présence d'un être nous émeut, à notre insu nous frémissons des prolongements possibles, des perspectives indéterminées nous troublent. "Je me fusse vite fatiguée de le contempler, si je n'avais su qu'il répondait à mon manège et qu'un jour nous échangerions des paroles... Ainsi je n'imagine rien entre nous, dans ce salon, qu'un échange de propos confiants, de caresses maternelles, de baisers calmes ; – mais aie donc le courage de t'avouer que tu pressens, au-delà de ce pur bonheur, toute une région interdite à la fois et ouverte : pas de frontière à franchir, un champ libre où s'enfoncer peu à peu, une ténèbre où disparaître comme par mégarde... Et après ? qui nous défend le bonheur ? ne saurais-je le rendre heureux, ce petit ?... Voilà le point où tu commences à te duper : c'est l'enfant du docteur Courrèges, de ce saint docteur... »[73]

Et nous, les lecteurs, nous partageons cette incertitude en ce qui concerne les motifs de Maria Cross. La manière dont elle repousse Raymond quand il essaie de la séduire, par exemple, pourrait être causée par toute une série de motivations enchevêtrées. A chacun de ses actes et de ses attitudes, le lecteur peut choisir, parmi toutes les possibilités présentées par l'étude de sa psychologie, une ou plusieurs hypothèses d'interprétation.

En parlant d'un roman anglais du dix-huitième siècle, *Moll Flanders*, de Daniel Defoë, Mauriac a dit :

« Ce qui me paraît proprement miraculeux dans *Moll Flanders*, c'est qu'une femme s'exprime ici qui à aucun moment ne réagit comme un mâle, qui ne dit jamais rien de ce que seul un homme pourrait dire. Cela est sans exemple dans l'histoire du roman qu'un romancier s'anéantisse en quelque sorte dans sa créature femelle. »[74]

Cette description pourrait s'appliquer tout aussi bien au Mauriac de Maria Cross et de Thérèse Desqueyroux.

« Dans mes prochains romans, le catholicisme touchera de moins en moins mes héros... ». Dans *Le Désert de l'amour*, il semble que Mauriac ait réussi enfin à bannir de son œuvre toute référence religieuse explicite, pour se concentrer sur la "misère de l'homme sans Dieu". Mais il y a, quand même, deux moments où une allusion est faite à la présence de Dieu. La première, très allusive, vient lorsque Maria Cross s'interroge sur sa honte devant la sexualité :

« Toute caresse suppose un intervalle entre deux êtres. Mais ils eussent été si confondus l'un dans l'autre que cette étreinte n'aurait pas été nécessaire, cette brève étreinte que la honte dénoue... La honte ? Elle crut entendre le rire de fille de Gaby Dubois et ce qu'elle lui criait un jour : "Mais non, mais non, parlez pour vous ! Il n'y a que ça de bon au contraire, que ça qui ne soit pas décevant... Dans ma chienne de vie, ce fut la seule consolation..." D'où vient ce dégoût ? A-t-il un sens ? Témoigne-t-il d'une volonté particulière de quelqu'un ? Mille idées confuses s'éveillaient en Maria (...) » [75]

Cette allusion à une volonté "de quelqu'un", puisqu'elle fait partie du monologue intérieur de Maria, et puisqu'il y a plusieurs autres explications possibles (y compris une frigidité naturelle de la part de Maria), ne peut en aucune manière être regardé comme un "message" religieux de la part de l'auteur. L'autre référence que nous allons examiner est, cependant, d'une autre envergure. Elle est l'intervention explicite du narrateur omniscient. A la fin du roman, ce narrateur décrit l'avenir de Raymond, incapable de sortir de la dépendance de Maria Cross, sauf par la drogue ou le sommeil et qui, même s'il réussit à s'en dégager, a un caractère qui créera d'autres dépendances semblables – à moins qu'avant la mort, lui et son père aperçoivent Dieu, qui "à leur insu" les appelle :

« Et s'il veut sortir coûte que coûte, s'il veut échapper à cette gravitation, quels autres défilés s'ouvrent à lui que ceux de la stupeur et du sommeil ?... à moins que dans son ciel cet astre soudain s'éteigne, comme tout amour s'éteint. Mais Raymond porte en lui une passion forcenée, héritée de son père – passion toute-puissante, capable d'enfanter jusqu'à la mort d'autres mondes vivants, d'autres Maria Cross dont il deviendra tour à tour le satellite misérable... Il faudrait qu'avant la mort du père et du fils se révèle à eux enfin Celui qui à leur insu appelle, attire, du plus profond de leur être, cette marée brûlante. » [76]

C'est comme si, après avoir réussi à créer un roman fondé sur un "monde sans Dieu", selon ses nouvelles théories, Mauriac ait manqué enfin de courage. Pendant un moment, le nouveau cadre disparaît, et un romancier didactique reparaît. Comme l'a écrit Malcolm Scott :

« Puisque ni Raymond Courrèges ni son père ne peuvent voir que seul Dieu peut remplir ce vide dans leurs vies causé par leur désir frustré à l'égard de Maria Cross, l'auteur laisse au narrateur le soin de souligner ce message. » [77]

Si l'on met de côté cette seule défaillance, cependant, il faut constater qu'avec *le Désert de l'amour* Mauriac a réussi enfin à créer un roman qui rivalisait avec le roman contemporain. Et Mauriac lui-même le voyait comme tel, s'intéressant autant à son succès commercial qu'à la gloire littéraire. Dans une lettre au directeur général de Grasset, en janvier 1924, il avait prédit que ce nouveau livre allait rivaliser avec le dernier roman de Paul Morand. (Pour ceux qui s'étonnent de ce choix, il faut souligner que Morand était un des écrivains les plus "à la mode" et les mieux cotés de cette période) :

« Après le succès de *Genitrix*, il y a des chances pour que *Le Désert de l'amour*, à quoi je travaille, puisse atteindre un aussi large public que *Lewis et Irène*. »[78]

VI

UN ROMAN MODERNE
Thérèse Desqueyroux

Si, avec Maria Cross, nous avons vu le développement d'une étude psychologique féminine telle que
Mauriac l'avait déjà esquissée chez Lucile de Villeron,
c'est avec *Thérèse Desqueyroux*, qui commença à
paraître dans *La Revue de Paris* en novembre 1926,
que nous trouvons pour la première fois chez Mauriac une étude psychologique qui soit le thème central d'un roman. C'est en plus un roman où, selon les
nouvelles théories de Mauriac, la religion n'est pas en
évidence, et où tout message religieux reste implicite
dans la peinture de la "misère de l'homme sans Dieu".
A tel point que, pour des générations d'élèves qui ont
étudié ce roman, et à qui on a inculqué l'idée du
Mauriac "romancier catholique", *Thérèse Desqueyroux* a posé un problème fondamental, qu'on a
résolu d'habitude en "forçant les choses" et en insé-
rant dans l'appréciation du livre des éléments qui n'y
existent pas. Un lecteur innocent y verrait (si la courte
préface n'existait pas) tout simplement un roman psychologique moderne.

Dans les mois qui précédèrent sa parution, Mauriac avait fait paraître deux nouvelles très importantes,
Un homme de lettres (*NRF*, juillet 1926) et *Coups de*

couteau (*Revue des Deux-Mondes*, octobre 1926), qui partagent plusieurs des caractéristiques de *Thérèse Desqueyroux*, et dans lesquels un contenu religieux explicite est également absent. Dans les deux cas, Mauriac esquisse l'ambiguïté de tout effort pour comprendre la motivation humaine ; la motivation d'un individu est un mystère non seulement pour les autres, mais aussi pour lui-même ; il y a une variété infinie d'interprétations possibles pour chaque action.

Le thème central de *Thérèse Desqueyroux* est l'impossibilité, pour tous, de comprendre non seulement les autres, mais aussi (ce qui est plus important) ses propres pensées et actions. La vérité est multiple et ambiguë. C'est par les yeux du personnage central, Thérèse, que nous nous apercevons de cette vérité.

L'ambiguïté nous est communiquée par l'utilisation adroite de diverses techniques narratives. Des treize chapitres du roman, sept (chapitres 2 à 8) sont consacrés à un effort désespéré, de la part de Thérèse, pour reconstituer les raisons qui l'ont menée a essayer d'empoisonner son mari. Cette "enquête" est justifiée par le fait qu'entre son acquittement (chapitre 1) et son retour vers son mari (chapitre 9) elle doit essayer de trouver, dans le train, un moyen de lui expliquer tout ce qui s'est passé. Les chapitres 9 à 12 nous ramènent au présent : nous voyons la manière dont Bernard traite sa femme à son retour, et les conséquences ; mais, même ici, le passé et le présent sont perpétuellement liés d'une manière qui nous prouve que la tentative pour tout expliquer a été futile. Dans le chapitre 13, lors de la conversation finale entre Bernard et Thérèse, l'auteur présente encore une fois au lecteur les mêmes questions, en y ajoutant de nouvelles ; et c'est ainsi que le roman se termine sur des incertitudes encore plus fortes que celles avec lesquelles il a commencé.

Pas seulement dans la partie "enquête", mais dans tout le reste du roman, un mélange subtil de techniques "point de vue", de style indirect libre, et d'interventions de l'auteur, crée une tension et une incertitude qui nous mènent finalement à questionner chaque phrase. Les puristes pourraient pointer un doigt accusateur vers l'altération des techniques "point de vue", en ce qui concerne les émotions du personnage principal, par l'addition d'observations qui sembleraient émaner de l'auteur ; mais ces observations sont tout à fait différentes de celles qu'on trouve, par exemple, dans le "roman catholique" traditionnel ou dans un roman du XIXe siècle, car elles ajoutent à l'incertitude et à la confusion, au lieu d'expliquer quoi que ce soit clairement. Il n'y a un "narrateur omniscient" que dans la mesure où ce narrateur nous communique l'impossibilité de savoir quoi que ce soit sur la motivation humaine.

La question centrale du roman est : pourquoi Thérèse a-t-elle agi comme elle l'a fait ? Mais il n'y a pas de réponse à cette question. Trop d'effort critique a été dépensé en essayant de cerner clairement les raisons de ses actions ; on n'a pas assez remarqué que l'intention de l'auteur est que nous n'arrivions jamais à résoudre ce problème. Chaque possibilité se heurte finalement à quelque chose qui paraît la contredire, ou qui paraît momentanément être une meilleure possibilité.

Un thème qui revient souvent est celui de la complication des sentiments humains, celui de l'impossibilité même de tenter de les décrire :

« Des paroles suffisent-elles à contenir cet enchaînement confus de désirs, de résolutions, d'actes imprévisibles ? »[1]

105

L'insuffisance des mots est accentuée par le fait que nous nous exprimons souvent en pensant à celui qui nous écoute. Ceci est vrai même dans les circonstances les plus innocentes :

« Une lettre exprime bien moins nos sentiments réels que ceux qu'il faut que nous éprouvions pour qu'elle soit lue avec joie. »[2]

De même que l'histoire simple que Bernard et Thérèse avaient fabriquée ensemble avait eu l'intention de convaincre le juge, celle que Thérèse essaie maintenant de produire, puisque Bernard est toujours présent à son esprit pendant qu'elle y pense, est susceptible de déformer la vérité.

Si les mots ne nous servent pas, est-il possible que nous puissions apercevoir la vérité à travers le silence, ou en regardant les visages des autres ? A première vue, tante Clara, sourde comme un pot, semblerait illustrer cette possibilité :

« Que ne déchiffrait-elle sur les figures des hommes qu'elle n'entendait pas ?[3] »

Mais cette question recèle l'ironie de l'auteur, car Clara n'a pas un entendement plus profond que celui de ceux qui peuvent entendre les paroles des autres (selon la convention des aveugles qui "voient" la vérité, cf. Arkel dans le *Pelléas et Mélisande* de Maeterlinck). Cette convention serait trop facile. Quand la vieille dame épie Bernard et Thérèse à travers la serrure, "la vieille dame se réjouit de voir que Thérèse souriait"[4]. Elle ne comprend rien.

Les visages servent à communiquer de faux messages. Thérèse est très habile à de telles feintes. Les corps, eux aussi, peuvent mentir :

« N'importe qui sait proférer des paroles menteuses ; les mensonges du corps exigent une autre science. Mimer le désir, la joie, la fatigue bienheureuse, cela n'est pas donné à tous. Thérèse sut plier son corps à ces feintes (...) » [5]

Bien qu'ils soient importants en eux-mêmes dans le roman, les mensonges et les feintes nous signalent quelque chose de plus important encore : le fait que la motivation humaine est beaucoup trop complexe pour être décrite ou évaluée simplement, avec des paroles humaines. Explicitement et implicitement, Mauriac souligne que la vérité n'existe que dans l'ambiguïté, et que le mensonge existe dans chaque effort pour définir une "vérité" compréhensible.

Les observations de Thérèse, quant à la recherche de la vérité qu'elle a entreprise, sont assez significatives. Dans le premier chapitre du roman, quand nous nous sommes rendu compte de la tentative d'empoisonnement, et de l'acquittement "truqué", nous apprenons que pour Thérèse à ce moment il y a une dichotomie claire entre l'explication des événements qu'elle et son mari avaient créée pour le public ("Il s'agissait alors entre eux non de ce qui s'était passé réellement, mais de ce qu'il importait de dire ou de ne pas dire" [6]), et la vérité réelle :

« Ils n'auront plus à construire ensemble une version avouable du drame qu'ils ont vécu. Rien ne sera plus entre eux que ce qui fut réellement... ce qui fut réellement... » [7]

Il faut noter l'insistance sur le mot "réellement" ; ici, au commencement du roman, Thérèse est convaincue qu'il y a une histoire "réelle" qu'elle peut mettre à côté de "l'histoire simple, fortement liée" [8] qu'ils avaient recomposée à l'usage du juge. Elle est d'abord convaincue que sa tâche est très simple. Tout ce qu'elle a à faire, se dit-elle au commencement de son voyage, c'est de dire tout à Bernard :

« Se livrer à lui jusqu'au fond, ne rien laisser dans

l'ombre : voilà le salut. Que tout ce qui était caché apparaisse dans la lumière, et dès ce soir. »

Pour elle, ce sera comme une "confession" religieuse, après laquelle les broussailles auront été déblayées, et elle pourra commencer une nouvelle vie. Mais déjà, avec les mots "préparer sa confession", nous nous rendons compte du besoin qu'elle a d'ordonner ses pensées pour communiquer une image cohérente à quelqu'un d'autre. Immédiatement, Thérèse commence à se rendre compte des difficultés :

« Que lui dirait-elle ? Par quel aveu commencer ? Des paroles suffisent-elles à contenir cet enchaînement confus de désirs, de résolutions, d'actes imprévisibles ? »

Mais bientôt elle comprend qu'il ne s'agit pas seulement de trouver un moyen d'exprimer quelque chose de très compliqué, mais qui soit une vérité quand même ; la base de cette "vérité" est incertaine, elle ne comprend pas elle-même les raisons de ses actions :

« Moi, je ne connais pas mes crimes. Je n'ai pas voulu celui dont on me charge. Je ne sais pas ce que j'ai voulu. Je n'ai jamais su vers quoi tendait cette puissance forcenée en moi et hors de moi (...) » [9]

La "confession" sera donc une enquête personnelle, plutôt qu'une tentative pour communiquer ce qui est déjà connu. Partout dans le roman le lecteur se rend compte que Thérèse balance entre une recherche de la vérité et la tentative d'ordonner les faits pour les présenter à Bernard. La description initiale du processus, comme celui de "préparer sa confession" [10], devient vite celui de "préparer sa défense" [11]. De même que la "défense" originale avait fait "recomposer" par Thérèse et Bernard, "à l'usage du juge, une histoire simple, fortement liée et qui pût satisfaire ce logicien" [12], Thérèse, face à la perspective d'être écoutée par Bernard, "le plus précis des hommes", qui "classe tous les sentiments, les isole, ignore entre eux ce lacis de défilés, de passages", se croit forcée d'entreprendre une tentative semblable de simplification. Elle se rend compte de la complexité de la motivation humaine, mais à cette étape elle croit encore que, derrière cette complexité, cette motivation est compréhensible. Elle sera capable de trouver la vérité si elle fait un assez gros effort ; son intelligence l'emportera ; mais comment expliquer cette vérité, quand elle la saura, à Bernard, tellement moins intelligent ? "Comment l'introduire dans ces régions indéterminées où Thérèse a vécu, a souffert ?". "Était-il vraisemblable qu'une femme de son intelligence n'arrivât pas à rendre ce drame intelligible ?". Il faut, pense-t-elle, "entraîner Bernard d'étape en étape", et raconter tout simplement l'histoire. [13]

Mais même pour faire cela, il faut faire un choix, ordonner les choses. Où commencer ? D'abord, elle se décide à commencer avec Anne : "C'était avec elle qu'il faudrait d'abord entretenir Bernard". Mais immédiatement elle sent qu'il ne comprendra pas, et qu'il faut qu'elle aille jusqu'au commencement. Mais où est le commencement ?

« Où est le commencement de nos actes ? Notre destin, quand nous voulons l'isoler, ressemble à ces plantes qu'il est impossible d'arracher avec toutes leurs racines. » [14]

Elle remonte jusqu'à son enfance, elle examine ses liens avec Anne, son mariage avec Bernard, ses réactions à l'amour d'Anne pour Jean Azévédo. Mais plus elle s'interroge et moins tout cela devient clair. Elle a l'impression à chaque instant que cela ne la mène à rien :

« Pourtant rien n'est dit de l'essentiel : "Quand j'aurai atteint avec lui ce défilé où me voilà, tout me restera encore à découvrir". Elle se penche sur sa propre énigme (...) » [15]

Même ici, cependant, elle se trompe. Là où Thérèse continue à chercher une explication simple et bien ordonnée, nous, les lecteurs, nous rendons compte de l'incertitude et de la complexité de la vérité ; puisqu'il est impossible de tout expliquer exactement, chaque détail nous aide néanmoins à échafauder une approximation de la vérité, dans laquelle toutes les possibilités nous sont fournies. Le lecteur se rend compte ainsi, plus tard, que Thérèse a tort en essayant de supprimer une partie de l'histoire, parce que "cela n'a rien à voir avec ce que je devrai tout à l'heure expliquer à Bernard ; je n'ai pas de temps à perdre sur des pistes qui ne mènent à rien" [16]. Elle se trouve dans l'impossibilité de choisir ce qui est pertinent, et ce qui ne l'est pas. Heureusement, l'auteur nous fournit la scène que son narrateur avait dédaigné comme hors de propos, et avait voulu supprimer ; il la fournit parce que "la pensée est rétive ; impossible de l'empêcher de courir où elle veut" [17]. L'auteur nous a sauvé de la tentative consciente, entreprise par son narrateur, de mettre en ordre les événements.

Il y a des techniques spécifiques qui soulignent les défauts de la peinture que le narrateur essaie de nous donner de la situation. En grande partie, l'enquête entreprise par Thérèse consiste en des questions auxquelles elle se trouve dans l'impossibilité de donner des réponses claires. Par exemple, elle imagine la question de Bernard :

« Mais, songe Thérèse, dès les premiers mots il m'interrompra : "Pourquoi m'avez-vous épousé ? » Il n'y a pas de réponse simple à cette question. Elle doit elle-même se demander : "Pourquoi l'avait-elle épousé ?"[18]. Quand elle essaie de répondre à cette question, la réponse consiste entièrement en incertitudes, en possibilités, en questions, en "mais", en "nul doute" :

« "Je l'ai épousé parce que..." Thérèse, les sourcils froncés, une main sur ses yeux, cherche à se souvenir. Il y avait cette joie puérile (...) Mais (...) Au vrai, pourquoi en rougir (...) Nul doute que (...) Mais (...) peut-être (...) Thérèse avait obéi peut-être à un sentiment plus obscur qu'elle s'efforce de mettre à jour (...) peut-être (...) Ce qui l'y avait précipitée, n'était-ce pas une panique ? (...) etc. »[19]

Même quand, de temps en temps, il paraît qu'on est arrivé à une certitude, des révélations ultérieures nous démontrent que cette "certitude" est fautive. Il y a des moments où Thérèse fait suivre une description apparemment sûre par une démolition également sûre de cette description. En questionnant la description de Bernard qu'elle nous fournit, elle détruit toute certitude, tout au long du roman, en ce qui concerne ses relations avec lui :

« Thérèse sourit à cette caricature de Bernard qu'elle dessine en esprit : "Au vrai, il était plus fin que la plupart des garçons que j'eusse pu épouser". »[20]

La même technique réapparaît à plusieurs reprises :

« Thérèse, songeant à la nuit qui vint ensuite, murmure : "Ce fut horrible... puis se reprend : Mais non... pas si horrible"... »[21]

Quand, finalement, la "confession" atteint le moment où Thérèse est sur le point de commettre le crime, elle est tout aussi loin de pouvoir en expliquer les causes :

« La voici au moment de regarder en face l'acte qu'elle a commis. Quelle explication fournir à Bernard ? »

Tout ce qu'elle peut faire, décide-t-elle, c'est raconter l'histoire simplement, comme elle est arrivée :

« Rien à faire que de lui rappeler point par point comment la chose arriva. » [22]

Mais, tout comme les tentatives d'expliquer les raisons derrière les événements, la tentative de fournir une narration simple de ce qui s'est passé échoue, elle aussi. Les questions foisonnent, et les réponses sont aussi évasives que les autres, pleines des phrases de doute que nous avons déjà repérées :

« Elle s'est tue par paresse, sans doute, par fatigue. Qu'espère-t-elle à cette minute ? "Impossible que j'ai prémédité de me taire". » [23]

Enfin, tout ce qui nous reste, avec certitude, c'est l'acte lui-même, qui évidemment est déjà bien connu par la personne pour laquelle la "confession" est en train d'être préparée : "Thérèse n'a plus rien à examiner(...) ce qui a suivi, Bernard le connaît aussi bien qu'elle-même" [24]

Lorsqu'elle arrive enfin à Saint-Clair, Thérèse se rend compte de la futilité des efforts qu'elle a faits ; la "reconstitution" de l'histoire l'a laissée sans une seule "raison" pour l'expliquer :

« Toute son histoire, péniblement reconstruite, s'effondre : rien ne reste de cette confession préparée. Non : rien à dire pour sa défense ; pas même une raison à fournir(...) » [25]

Immédiatement, cependant, on nous présente deux caricatures de la manière de déduire "la vérité" des complications de la réalité. D'abord, Bernard présume qu'elle a essayé de l'empoisonner à cause de la propriété, des pins. Thérèse s'émerveille qu'entre les mille raisons de son acte, il en ait inventé une nouvelle, "la cause la plus basse". Quand elle réagit, il répond :

« Naturellement : à cause des pins... Pourquoi serait-ce ? Il suffit de procéder par élimination. Je vous défie de m'indiquer un autre mobile... » [26]

Ce défi, Thérèse est incapable de le relever, nous l'avons déjà vu. Et ce que Thérèse voit comme la réaction d'un "imbécile", cette réaction elle la poursuit elle-même, deux pages plus tard, lorsque, pour elle-même et non pour expliquer les choses à un autre, elle rejette les "mille sources secrètes" qu'elle avait essayé d'explorer, et jette son dévolu sur une seule :

« Du fond de sa mémoire, surgissaient, maintenant qu'il était trop tard, des lambeaux de cette confession préparée durant le voyage ; mais pourquoi se reprocher de ne s'en être pas servie ? Au vrai, cette histoire trop bien construite demeurait sans lien avec la réalité. Cette importance qu'il lui avait plu d'attribuer aux discours du jeune Azévédo, quelle bêtise ! Comme si cela avait pu compter le moins du monde ! Non, non ; elle avait obéi à une profonde loi, à une loi inexorable ; elle n'avait pas détruit cette famille, c'était elle qui serait donc détruite(...) Inutile de chercher d'autres raisons que celle-ci : "parce que c'était eux, parce que c'était moi". » [27]

La déformation d'une citation de Montaigne renforce notre impression de la "fausse intellectuelle" Thérèse ; mais le passage est beaucoup plus important que cela. Après tout ce que nous avons vu des possibilités variées en ce qui concerne la motivation de Thérèse, il est clair pour nous que cette vue est aussi simplifiée et trompeuse que celle de Bernard (bien que de nombreux critiques aient été induits en erreur par ce passage, ne se rendant pas compte de la faillibilité de la narratrice, allant jusqu'à voir le roman tout simplement comme "un drame de famille" où la vie étouffante d'une famille des Landes est la cause la plus importante des actes de Thérèse). Cette simplification trompeuse nous est révélée clairement par le dernier chapitre du roman, où la question entière est rouverte. Assis au Café de la Paix, à Paris, Bernard pose cette question :

« Thérèse... je voulais vous demander... (...) Je voudrais savoir... C'était parce que vous me détestiez ? Parce que je vous faisais horreur ? »

Avec un sentiment de soulagement, Thérèse se demande si l'effort qu'elle avait fait pour arriver à la vérité sera enfin récompensé :

« Enfin ! (...) Cette confession longuement préparée (...), cette nuit de recherches, cette quête patiente, cet effort pour remonter à la source de son acte, – enfin ce retour épuisant sur soi-même était peut-être au moment d'obtenir son prix. »[28]

Et pourtant, encore une fois, tout cela ne mène à rien. Sa réponse moqueuse (c'était "à cause de vos pins"), qui parodie la tentative antérieure de Bernard d'expliquer simplement le problème, est suivie par une simplification où elle croit trouver une nouvelle raison possible :

« J'allais vous répondre : "Je ne sais pas pourquoi j'ai fait cela" ; mais maintenant, peut-être le sais-je, figurez-vous ! Il se pourrait que ce fût pour voir dans vos yeux une inquiétude, une curiosité, – du trouble enfin : tout ce qui, depuis une seconde, j'y découvre... »

Bernard rejette cette façon d'aborder le problème, la décrivant comme "de l'esprit" ; et finalement elle admet l'impossibilité où elle se trouve d'arriver à la vérité. Elle demande à Bernard s'il connaît toujours les raisons de ses actes ; Bernard répond "Sûrement... sans doute... Du moins il me semble...", démontrant ainsi un déclin progressif de la certitude à l'incertitude. C'est alors que Thérèse explique, à lui, et à nous,

114

non seulement qu'elle a été incapable de trouver une explication qui aurait pu le convaincre, lui, mais aussi qu'elle a été incapable d'en trouver une qui pourrait la convaincre elle-même :

« Moi, j'aurais tant voulu que rien ne vous demeurât caché. Si vous saviez à quelle torture je me suis soumise pour voir clair... Mais toutes les raisons que j'aurais pu vous donner, comprenez-vous, à peine les eussé-je énoncées, elles m'auraient paru menteuses... »[29]

L'effort continue ; mais à chaque étape elle n'arrive à s'expliquer ni à Bernard ni à elle-même. Enfin, elle est astreinte à s'exclamer :

« Mais non, Bernard ; voyez, je ne cherche qu'à être véridique ; comment se fait-il que tout ce que je vous raconte là rende un son si faux ? »[30]

Pour Thérèse, et pour Bernard, l'effort a été inutile ; mais pour nous, lecteurs, il a été plein de signification, car il nous a aidés à accepter l'impossibilité de trouver une vérité définie et immuable en ce qui concerne la complexité des motivations humaines. Cette scène finale est particulièrement riche en suggestions qui aident à renverser toute conclusion ferme à laquelle nous aurions peut-être été tentés d'adhérer à cet égard.

Cette étude minutieuse de la psychologie humaine a été entreprise dans un cadre strictement non-religieux. Ce n'est que dans l'*Avis au lecteur* que nous trouvons des préoccupations religieuses ; et cet *Avis* ne se trouve point dans les manuscrits du roman ; il a été évidemment ajouté plus tard. Dans le roman lui-même, les références à l'église paroissiale et au curé ont visiblement le même rôle que les allusions religieuses dans, par exemple, *Madame Bovary* de Flaubert. Elles font partie du cadre social, et en même temps elles éclaircissent certains aspects des attitudes des personnages centraux.

Il n'y a qu'un moment où, apparemment à travers une des techniques du "roman catholique" que Mauriac a utilisées dans ses romans antérieurs, la "main de Dieu" pourrait être entr'aperçue, mais d'une manière imprécise et incertaine.

Ce moment, c'est la mort de tante Clara, dans le chapitre X. Thérèse est sur le point de se suicider ; elle hésite :

« Que sa lâcheté l'humilie ! S'Il existe, cet Etre (et elle revoit, en un bref instant, la Fête-Dieu accablante, l'homme solitaire écrasé sous une chape d'or, et cette chose qu'il porte des deux mains, et ces lèvres qui remuent, et cet air de douleur) qu'Il détourne la main criminelle avant que ce ne soit trop tard ; – et si c'est sa volonté qu'une pauvre âme aveugle franchisse le passage, puisse-t-Il, du moins, accueillir avec amour ce monstre, sa créature. » [31]

Le passage est visiblement écrit en style indirect libre ; même les mots "ce monstre, sa créature", qui sont en accord avec les opinions de Mauriac lui-même, pourraient tout aussi bien être attribués à Thérèse, qui parle d'un Dieu possible ("s'Il existe") dont elle est une créature monstrueuse [32].

Mais tante Clara meurt soudainement, et Thérèse est ramenée du bord de la mort. On se souvient immédiatement de la manière dont le héros de *La Robe prétexte* a été sauvé par la mort sa grand-mère [33]. Mais ici il y a quand même un doute. Thérèse, qui ne savait pas si elle croyait en un Dieu, ne croit pas à une intervention de ce Dieu possible :

« Thérèse regarde ce corps, ce vieux corps fidèle qui s'est couché sur ses pas au moment où elle allait se jeter dans la mort. Hasard ; coïncidence. Si on lui parlait d'une volonté particulière, elle hausserait les épaules. » [34]

Malgré son incertitude, ce passage du roman représente une tendance que nous avons déjà aperçue dans *Le Désert de l'amour* : la nécessité chez Mauriac, même dans un roman écrit selon ses nouvelles théories, d'insérer au moins un trait qui nous ramène à une écriture romanesque plus didactique. Et comme si, après avoir écrit le roman, il s'était rendu compte de la nécessité d'expliquer à ses lecteurs qu'il y a quand même une dimension chrétienne dans cet "univers sans Dieu", il ajouta l'*Avis au lecteur* que nous avons déjà mentionné, et qui contient ces phrases célèbres :

« J'aurais voulu que la douleur, Thérèse, te livre à Dieu ; et j'ai longtemps désiré que tu fusses digne du nom de sainte Locuste. Mais plusieurs qui pourtant croient à la chute et au rachat de nos âmes tourmentées, eussent crié au sacrilège.

Du moins, sur ce trottoir où je t'abandonne, j'ai l'espérance que tu n'es pas seule. » [35]

Ce texte est significatif à d'autres égards, car elle nous ramène à une étape, dans la rédaction du roman, où Mauriac semble l'avoir vu d'une manière bien plus "chrétienne". "J'ai longtemps désiré que tu fusses digne du nom de sainte Locuste" : sur la première

117

page du premier manuscrit (inachevé) de *Thérèse Desqueyroux*, on lit un sous-titre qui semble signifier l'intention de Mauriac, à cette époque, de finir le roman par la conversion de Thérèse (intention dont Mauriac dit, dans son *Avis*, qu'il l'a éventuellement abandonnée) :

Thérèse Desqueyroux

Sainte Locuste

Si on se rapporte à *Conscience, instinct divin*, dont Mauriac lui-même dit qu'il est "le premier jet de *Thérèse Desqueyroux,* conçue d'abord comme une chrétienne, dont la confession écrite eût été adressée à un prêtre" [36], on y voit une intention religieuse évidente. L'héroïne parle d'une manière croyante, ce qui fait de sa "confession" une vraie confession, loin de la prétendue "confession" que Thérèse va préparer à l'intention non de Dieu mais de Bernard :

« Ah ! que nous ayons des comptes à rendre devant Quelqu'un, cela, je le sais trop pour qu'il soit besoin de me prouver que ce Juge existe. J'ai foi en lui comme je crois au feu qui brûle ; et aussi comme un affamé croit à sa faim ; comme un être sali croit à l'eau qui lave. » [37]

L'étude de la motivation humaine est beaucoup plus simpliste dans ce premier jet de *Thérèse Desqueyroux* que dans le roman lui-même. Le crime de l'héroïne y est clairement lié à sa haine des hommes et de la sexualité, et à son amour pour Raymonde (qui deviendra Anne). Les thèmes de la frigidité et de l'homosexualité, qui seront présents à l'arrière-plan sous une forme déguisée dans *Thérèse*, sont abordés ici bien plus directement. En même temps, les autres motivations possibles pour le crime de Thérèse sont absents de ce premier jet. La famille étouffante n'est pas là. Le mari, Pierre, est vu par l'héroïne comme quelqu'un d'admirable et de "modeste", plein de "bonté", de "justesse d'esprit", de "bonne foi". Elle peut lui dire sans mentir qu'elle l'aime plus que tous les autres hommes – mais c'est parce qu'elle n'aime pas les hommes sexuellement :

« Quand je répète à Pierre qu'il est le seul homme que j'aime, le seul que j'aimerai jamais, Dieu m'est témoin que je ne mens pas. Je me garde seulement d'ajouter que, le préférant à tous les hommes, il n'empêche que son approche me fait horreur. »[38]

Des critiques ont vu, dans ce changement de ton entre *Conscience, instinct divin* et *Thérèse Desqueyroux*, un désir de déguiser un thème "tabou" ; mais cette interprétation ne tient aucun compte de deux faits : a) Mauriac aborde le problème de l'homosexualité, et celui de la frigidité féminine, dans plusieurs de ses romans ; b) le sujet du lesbianisme n'était nullement tabou au milieu des années vingt, surtout pour Mauriac ; peu de temps après le *Sodome et Gomorrhe* (1922) de Proust, et *Le Fleuve de feu* de Mauriac lui-même, qui abordait le sujet d'une manière assez nuancée, deux ouvrages auxquels Mauriac s'était beaucoup intéressé venaient de paraître, qui traitaient ce sujet de face, d'une manière très explicite : le roman *La Bonifas* (1925) de Lacretelle, et *La Prisonnière* (1926), la pièce d'Édouard Bourdet auquel Mauriac avait consacré un compte rendu enthousiaste dans la *N.R.F*[39]. Si Mauriac masque ce thème dans son roman, s'il y fait allusion au lieu de le décrire directement, c'est parce que dans ses romans, à cette époque, la suggestion est essentielle, et les certitudes diminuent. Dans *Thérèse* ce thème est une partie importante d'un ensemble de possibilités qui pourraient expliquer la personnalité et les motivations du personnage principal.

Bien que, selon les exigences d'un roman de l'ambiguïté, Mauriac ait atténué ce côté "homosexualité inconsciente" de Thérèse, il n'en reste pas moins qu'il a continué à le croire central dans le débat, jusqu'à se demander s'il avait trop appuyé, dans la version finale, sur les autres possibilités. Dans une lettre à Henri de Régnier, le 30 mars 1927, il disait :

« Je crois que j'ai trop insisté sur *l'ennui* dont elle souffre et pas assez sur son vrai drame qui est la solitude sexuelle. C'est au fond une Bonifas qui s'ignore (comme j'en ai connu plusieurs dans des campagnes et dans des milieux où ces monstruosités sont inconnues même de celles et de ceux qui en sont atteints). » [40]

La mention de *La Bonifas* de Lacretelle, dont l'héroïne est une espèce de "Mlle de Charlus" [41], nous indique très clairement que, pour Mauriac, le lesbianisme de Thérèse est de première importance, et qu'il regrette maintenant d'avoir trop déguisé, dans l'intérêt de l'ambiguïté romanesque, l'importance de sa sexualité. La mise en avant de la famille, de l'ennui, de la société claustrophobe des Landes, et de toutes les autres raisons possibles du crime, pour brouiller la piste, avait peut-être trop dévalué cette raison centrale. Et il faut avouer que la plupart des spécialistes de Mauriac, bien que certains d'entre eux aient signalé la pertinence possible de ce thème, ont surtout parlé en termes de "potentialité" ; et que beaucoup d'entre eux ont été d'accord pour écarter son importance (jusqu'à critiquer le cinéaste Georges Franju d'avoir souligné cet aspect dans son film). [42]

Avec *Thérèse Desqueyroux* nous atteignons l'apogée des romans de cette période de Mauriac ; dans ce roman il est, pour la première fois, complètement lui-même. Il avait intériorisé les influences littéraires qui étaient apparues à la surface de ses romans précédents, et, tout en continuant à se servir de leurs leçons, il avait réussi à bâtir un roman d'une originalité considérable. Il allait y avoir d'autres romans réussis à l'avenir ; mais ils seraient d'un autre ordre. La "méthode" que Mauriac perfectionna au milieu des années vingt allait disparaître, pour être remplacé par une série de nouvelles méthodes. Le reste de la carrière de Mauriac allait être marqué par les mêmes problèmes que ceux des années vingt ; mais Mauriac allait essayer des solutions différentes.

VII

RETOUR EN ARRIÈRE
1928-1930

Le troisième roman créé suivant ces nouvelles techniques fut *Destins.* Mauriac l'écrivit très rapidement en mars 1927, "en quelques jours" [1], sur commande, pour *Les Annales politiques et littéraires*, revue dans laquelle il commença à paraître le même mois, c'est-à-dire seulement un mois après la parution de *Thérèse Desqueyroux* en librairie.

Ce roman contient encore un portrait féminin saisissant : celui d'Élisabeth Gornac, dont "le cœur s'éveille à l'amour quand elle n'est plus qu'une lourde femme déjà flétrie, et l'être qu'elle aime est un enfant débauché". [2]

Il est peut-être significatif que, en janvier et février 1927, juste avant d'écrire *Destins*, Mauriac avait évoqué avec emphase les romans *Chéri* et *La Fin de Chéri*, de Colette, dans un article et une conférence qui allaient devenir, en mai 1928, son essai *Le Roman*. *La Fin de Chéri* était paru en 1926, et c'est à travers ce deuxième roman que Mauriac a retrouvé son intérêt pour le héros de Colette ; il y avait déjà eu des traits dans *Le Mal* de 1924 qui avaient montré une influence du premier roman, et en 1925 Mauriac avait rédigé pour la *NRF* un compte rendu fort élogieux de la

123

pièce qui en avait été tirée ; mais dans l'article de janvier 1927, Mauriac vise évidemment *La Fin de Chéri* :

« (...) Nul ne peut suivre le *Chéri* de Colette ni atteindre, à travers quelle boue ! ce misérable divan où il choisit de mourir (...) » [3]

Dans la conférence de février, Mauriac s'appuya un peu plus sur le personnage de Léa, dans des termes qui pourraient très bien décrire Élisabeth Gornac : "une femme sur le retour et qui pourrait être sa mère" [4] – des termes qu'il allait reprendre, plus tard la même année, pour décrire la Phèdre de Racine : "ce penchant d'une femme déjà au déclin" [5]. Mauriac a déclaré que Phèdre "apparaît dans le filigrane de presque tous mes récits" [6], et ses observations sur Léa, sur Phèdre et sur Élisabeth Gornac s'expliquent par son obsession, déjà existante dans *Le Mal*, avec le thème de "la femme sur le retour" qui s'éprend d'un adolescent.

En face d'Élisabeth, il y a Bob, "le garçon de 1920 que j'ai connu au *Bœuf sur le toit*, "le jeune homme" dont j'ai traité dans un essai paru chez Hachette, l'être inconsistant que la jeunesse touche de son bref rayon (...)", qui est en même temps, comme tant de héros de Mauriac à partir du *Désert de l'amour*, et comme le Chéri de Colette, "un enfant débauché" [7].

Le drame d'Élisabeth Gornac est décrit avec toute la subtilité dont Mauriac s'était montré capable dans *Le Désert de l'amour* et *Thérèse Desqueyroux*, surtout à travers de longs monologues intérieurs. Le roman s'inscrit, de ce point de vue, à côté de ces deux autres. Bien sûr, la religion y entre, dans le personnage de Pierre, le fils d'Élisabeth ; mais dans la version des *Annales* c'est surtout pour dresser les deux jeunes gens l'un contre l'autre, "l'enfant débauché" Bob et "le petit séminariste amer et sombre" Pierre ; et dans cette version, le pharisaïsme de Pierre fait de lui un personnage qui met en relief le côté attrayant de Bob, et c'est Bob qui sort de la comparaison avec plus de sympathie.

Dans l'édition des *Annales politiques et littéraires*, mars-mai 1927, cependant, il y a un ajout important au manuscrit, une allusion à l'idée de la souffrance expiatoire, bien que cette allusion fasse partie de la pensée intérieure de Pierre, et non pas des vues d'un "narrateur omniscient" ; elle est encore une facette de la "religiosité" de Pierre :

« Toute sa vie, toute sa vie serait offerte en échange du salut de cet enfant, qu'il avait insulté, qu'il avait précipité dans la mort ; mais la mort seule avait pu rendre vivant cet ange charnel. » [8]

Destins valut à Mauriac des attaques de la critique catholique encore plus virulentes que tout ce qui avait été écrit jusqu'ici. Ceci venait surtout de ce que Mauriac avait dépeint avec sympathie un personnage débauché, dont l'attrait était considérable ; et que, d'autre part, il avait décrit un personnage "religieux" en soulignant son pharisaïsme et sa capacité de se tromper dans ses motivations. Ces critiques peuvent expliquer, en partie, certains autres changements dans le roman qui s'insérèrent entre la parution dans les *Annales* et la parution en librairie, presque une année plus tard, en février 1928. Ces changements étaient en apparence mineurs, mais ils dénotaient un désir de la part de l'auteur d'atténuer le caractère de Pierre, et de faire de lui un "pharisien qui a vaincu le pharisaïsme en lui – mais il a fallu qu'un autre périsse" [9]. Ces idées nous sont communiquées maintenant par un narrateur omniscient.

Dans *Destins* déjà, il y avait eu bien sûr, comme dans les autres romans de Mauriac dans cette période, la présence d'un narrateur omniscient qui nous parle directement ; mais dans l'édition de *Destins* de février 1928 ce narrateur nous mène à des vérités éternelles :

« On ne change rien dans les êtres, les êtres ne changent pas, sauf par une volonté particulière de leur Créateur ; il faut les racheter tels qu'ils sont, avec leurs inclinations, leurs vices, les prendre, les ravir, les sauver, tout couverts encore de souillures ; saigner, s'anéantir pour eux. (...)

Les êtres ne changent pas, mais beaucoup meurent sans se connaître, – parce que Dieu a étouffé en eux, dès leur naissance, le mauvais grain ; parce qu'il est libre d'attirer à soi cette frénésie qui chez tel de leurs ascendants était criminelle, et qui le redeviendra peut-être dans leur fils. » [10]

Que s'est-il passé ? Pourquoi Mauriac a-t-il inséré dans ce roman des techniques religio-littéraires auxquelles il avait renoncé d'une manière apparemment si définitive ? Les réponses à ces questions aideront à expliquer un changement énorme qui allait se produire dans les procédés littéraires de Mauriac à partir de 1928.

Il semble extraordinaire que, dans l'année même où Mauriac publia, dans *Le Roman* (mai 1928), le manifeste du nouveau roman tel qu'il l'avait créé entre 1923 et 1927, ce romancier ait commencé à revenir en arrière, insinuant un message chrétien explicite dans une nouvelle édition d'un roman des passions, et se servant, comme cinq ans auparavant, de quelques-unes des techniques narratives du "roman catholique". Deux ans plus tard, avec *Ce qui était perdu*, ce sera un retour en arrière beaucoup plus définitif vers un roman catholique traditionnel. Par certains côtés, comme nous le verrons, *Ce qui était perdu* allait être plus clair, et moins ambigu, en ce qui concerne les desseins de Dieu, que les romans de la première période de Mauriac. Que s'est-il passé dans les années 1928-1930 ?

Mauriac subissait, dans cette période, de fortes pressions de divers côtés. Il y avait une inquiétude religieuse, surtout en ce qui concernait les relations entre la chair et la religion ; et mêlée à cela (et peut-être une des causes de cette inquiétude), il y avait, paraît-il, ce que Malcolm Scott décrit comme une "destabilising relationship"[11] (une liaison déroutante). Plus tard, Mauriac a parlé surtout de tourments religieux, suivis d'une "conversion" en octobre-novembre 1928, qui, bien que Mauriac n'ait jamais cessé d'être catholique, lui avait donné conscience du caractère immédiat de sa foi, et de la primauté du spirituel dans sa vie. Tout cela s'était exprimé dans deux textes importants : *Souffrances du chrétien*, publié dans la *NRF* d'octobre 1928, et la réponse, *Bonheur du chrétien*, dans la *NRF* d'avril 1929.

Parlant plus tard de *Souffrances du chrétien*, Mauriac notait que ce "travail fait sur commande" avait néanmoins exprimé une déchirure intérieure :

« Si j'avais dû renoncer à la foi chrétienne, l'heure en était venue. »[12]

Selon Charles du Bos, quelques semaines plus tard "la conversion de Mauriac est un fait accompli"[13]. *Bonheur du chrétien* allait consacrer cette "conversion" en avril 1929.

Pour Mauriac, regardant en arrière, (et donc pour la plupart de ceux qui écrivent sur Mauriac), cette "conversion" est la raison qui expliquerait complètement les changements dans son œuvre vers la même époque. Mais il y avait des raisons littéraires (ou plutôt des raisons religio-littéraires où la littérature prenait plus de place que les questions purement religieuses), qui à mon avis avaient beaucoup plus à voir avec ce phénomène, et qui s'exprimaient surtout dans une conférence de juin 1928 dont sortirait une partie de l'essai *Dieu et Mammon* (1929).

Mais d'abord il faut noter une chose importante : les ajouts au roman *Destins*, qui étaient les signes avant-coureurs de ces changements fondamentaux dans l'œuvre de Mauriac, ont précédé la "conversion" d'octobre-novembre 1928 de plus de huit mois ; c'est-à-dire que nous devons chercher la source de ces changements, quelle que soit la situation à partir de 1929, dans la situation de Mauriac au commencement de 1928.

Quelles étaient les préoccupations de Mauriac à cette époque ? Il lui avait semblé jusqu'alors qu'il avait résolu les problèmes du romancier catholique, "pris entre la vérité humaine et le devoir de faire le bien", en se décidant à écrire des romans où il n'y aurait pas de contenu religieux explicite, et qui seraient de ce fait presque indifférenciables des romans profanes de son époque, qui eux aussi, d'après Mauriac, décrivaient "la misère de l'homme sans Dieu". Trois grands romans en étaient sortis, accueillis avec enthousiasme par le public et par la critique non-catholique. Mais Mauriac avait été forcé de reconnaître que le problème religio-littéraire existait toujours pour lui. La critique catholique l'éreintait, et malgré son mépris pour ces critiques, il était de plus en plus obligé de les écouter ; son propre désir de "témoigner" se trouvait bâillonné.

Ces raisonnements ont sans doute suffi pour que l'auteur fasse de *Destins* quelque chose d'un peu plus "chrétien", en y ajoutant les détails que nous avons repérés ci-dessus ; mais la volte-face qu'on trouve dans *Ce qui était perdu* (1930) ira beaucoup plus loin, et demande d'autres explications. L'influence de la "conversion" d'octobre-novembre 1928 aurait été une hypothèse satisfaisante pour expliquer cette volte-face, si une nouvelle, parue en juillet-août 1928 à la *NRF* (c'est-à-dire quelques mois avant la "conversion"), ne déployait déjà plusieurs des caractéristiques du roman de 1930.

Cette nouvelle, c'est *Le Démon de la connaissance*. Elle est aussi loin que possible des nouvelles de la période 1923-1927, *Un homme de lettres* et *Coups de couteau* (bien que, plus tard, Mauriac allait les réunir dans *Trois récits* (1929)). Mauriac abandonne ici le cadre d'un "univers sans Dieu", et l'étude serrée et subtile de la psychologie humaine, pour nous dépeindre d'une manière édifiante un personnage inspiré par un ami de son enfance, l'abbé André Lacaze. Les interventions du narrateur omniscient démontrent ce besoin d'édification, avec, malgré l'ambiguïté du personnage central, une certitude en ce qui concerne les desseins de Dieu (et des jugements simplistes quant aux caractéristiques du personnage, et à la manière dont ce personnage ne comprend pas les vérités dont le narrateur est certain) :

· « Ainsi délire cet orgueilleux : comme il est loin du Maître humble de cœur ! Mais il ne le sait pas. » [14]

Au lieu de l'étude d'un moment décisif dans les relations entre les personnages, telle qu'on la trouvait dans *Coups de couteau,* cette nouvelle nous mène laborieusement à travers l'histoire du personnage central, Maryan, dont le caractère et les rapports problématiques avec Dieu sont décrits en toutes lettres. Au lieu des visions momentanées de la nature humaine qui sont la raison d'être de la nouvelle moderne, nous trouvons un désir de dire tout ce qu'il est possible de dire, à travers une période aussi longue que ce désir nécessite. Les méthodes sont celles d'un roman traditionnel plutôt que celles d'une nouvelle moderne. Dans le Chapitre I, nous voyons Maryan et son ami Lange dans la cour de l'école (une scène typique du Mauriac des commencements), et nous nous rendons compte des éléments de son caractère : sa violence intellectuelle, sa laideur physique, ses tics étranges, etc. Maryan dit son intention d'entrer au séminaire, pour des raisons négatives plutôt qu'à cause d'une vocation religieuse. Dans le Chapitre II, Maryan est au séminaire. Lange lui rend visite. A la fin du chapitre nous avons avancé dans le temps encore une fois, et nous lisons une lettre de Maryan qui annonce son départ du séminaire ; il demande à Lange de le rejoindre chez sa belle-sœur. Les Chapitres III et IV décrivent d'une manière très dramatique les relations compliquées qui sont révélées par cette visite. Finalement, nous observons la conversion apparente de Maryan, qui semble écouter la voix de Dieu. Mais le narrateur omniscient sait à quoi s'en tenir sur la voix de Dieu ; Maryan ne fait qu'écouter sa propre voix :

« Ainsi sur la route qu'a séchée le vent, Maryan se parle à lui-même et déjà, à son insu, falsifie la parole de Dieu. »[15]

L'histoire se termine par un regard vers l'avenir, et vers la conversion éventuelle de Maryan dans les tranchées de la Grande Guerre :

« Se résignerait-il jamais aux longues étapes d'une recherche sans espérance ? De nouveau, il regarda le ciel comme un homme qui guette un présage. Mais il n'y découvrit pas le terrible "chemin court" qui, bien des années plus tard, lui serait proposé pour atteindre

Dieu. Il ne vit pas en esprit cette tranchée dans la terre où, quelques secondes avant l'assaut, quelques minutes avant d'être abattu, il répéterait à mi-voix la plus belle parole que la guerre ait inspirée à un homme près de mourir : "Enfin ! je vais savoir". » [16]

Dans cette nouvelle, nous trouvons donc les mêmes caractéristiques que nous retrouverons dans *Ce qui était perdu*, deux ans plus tard : un narrateur qui perçoit non seulement les pensées intimes de ses personnages (y compris ce qu'ils ne "voient" pas), mais aussi des vérités religieuses. Il peut juger de la réalité d'une conversion, et de la vérité ou de la fausseté d'une voix qui semble venir de Dieu. Il peut tout juger d'une position avantageuse de certitude morale et d'omniscience.

Quelques mois avant sa "conversion", Mauriac avait donc incorporé dans une nouvelle les caractéristiques religio-littéraires qu'on a attribuées jusqu'ici à cette conversion, et qui représentaient un retour aux procédés du "roman catholique". Il faut, donc, chercher ailleurs les raisons de ces nouvelles caractéristiques ; et on verra que des raisons "littéraires" sont beaucoup plus importantes qu'on ne l'a cru jusqu'ici.

En mai 1928 un événement s'est produit qui a eu une influence énorme sur Mauriac. Gide lui a envoyé une "lettre ouverte" qui allait paraître dans la *NRF* de juin, le taquinant sur les relations entre sa littérature et sa religion. Aux critiques lancées contre lui par les catholiques s'ajoutaient maintenant celles d'un des maîtres du "cénacle" de la littérature contemporaine qu'il avait tellement adulé. Mauriac, à sa première lecture de cette lettre, ne se rendit pas compte immédiatement de sa portée ; en la relisant, il en fut piqué au vif. Sa grande réponse à cette lettre, *Dieu et Mammon*, ne parut qu'en 1929 ; mais une partie de cet essai parut sous forme d'article ("La Responsabilité du romancier"), dans la *Revue hebdomadaire* du 22 juin 1928 (basé sur une conférence faite le même mois, juste après la parution de la lettre de Gide) [17] ; et il est probable qu'il a commencé à rédiger les autres parties de l'essai vers la même époque.

La lettre de Gide avait été inspirée par la *Vie de Jean Racine* que Mauriac avait fait paraître en mars ; mais Gide se servait de ce tremplin pour taquiner Mauriac en ce qui concernait la tension entre la religion et le métier de romancier. Car entre Racine et Mauriac il y avait une grande différence :

« Mais, en dépit des replis de votre spécieuse pensée, le point de vue de Racine vieillissant et votre point de vue de romancier chrétien diffèrent jusqu'à s'opposer. Racine rend grâce à Dieu d'avoir bien voulu le reconnaître pour sien, *malgré* ses tragédies qu'il souhaitait n'avoir point écrites, qu'il parlait de brûler (...) Vous vous félicitez que Dieu, avant de ressaisir Racine, lui ait laissé le temps d'écrire ses pièces, de les écrire *malgré* sa conversion. »

C'est que Mauriac veut être chrétien et en même temps écrire une littérature profane :

« En somme, ce que vous cherchez, c'est la permission d'écrire *Destins* ; la permission d'être chrétien sans avoir à brûler vos livres ; et c'est ce qui vous les fait écrire de telle sorte que, bien que chrétien, vous n'ayez pas à les désavouer. Tout cela (ce compromis rassurant qui permet d'aimer Dieu sans perdre de vue Mammon), tout cela nous vaut cette conscience angoissée qui donne tant d'attrait à votre visage, tant de saveur à vos écrits, et doit tant plaire à ceux qui, tout en abhorrant le péché, seraient bien désolés de n'avoir plus à s'occuper du péché. »

Tout ceci était déjà assez blessant ; mais Gide terminait la lettre avec un coup particulièrement perfide, qui louait Mauriac à cause de l'excellence non-religieuse de son œuvre, qui aurait été moins excellente si elle avait été plus religieuse :

« (...) Vous n'êtes pas assez chrétien pour n'être plus littérateur. Votre grand art est de faire de vos lecteurs des complices. Vos romans sont moins propres à ramener au christianisme des pécheurs, qu'à rappeler aux chrétiens qu'il y a sur la terre autre chose que le ciel. J'écrivis un jour, à la grande indignation de certains : "C'est avec les beaux sentiments qu'on fait de la mauvaise littérature" La vôtre est excellente, cher Mauriac. Si j'étais plus chrétien sans doute pourrais-je moins vous y suivre. »[18]

Le but était visiblement celui de blesser ; et ce but fut atteint. Mauriac avait toujours pu, jusqu'ici, ne pas tenir grand compte des dénonciations de ses détracteurs catholiques. Même quand des critiques profanes de deuxième ordre, comme Paul Souday, lui assénaient les mêmes coups que les critiques catholiques ("ce mélange d'eau bénite et d'eau de toilette qui caractérise la plupart des ouvrages de M. Mauriac"[19]), cela ne le faisait pas broncher. Mais Gide était d'un autre ordre.

Tout au long de sa carrière, Mauriac s'est montré très susceptible en ce qui concerne les opinions de ceux qu'il considérait comme les écrivains les plus en vue et les plus importants de son époque. Leurs jugements tendaient à avoir sur lui et sur son œuvre des effets beaucoup plus violents que ces auteurs n'auraient attendu. Ainsi, dans les années trente, quand Sartre s'attaqua à l'art de Mauriac dans son célèbre article de la *NRF* de février 1939, cet article eut un effet sur Mauriac auquel Sartre ne se serait pas du tout attendu. Au lieu de se froisser, ou de faire semblant d'ignorer l'article de Sartre, Mauriac allait, selon son propre aveu, se mettre à l'œuvre pour transformer ses romans futurs :

« Le jour où l'écrivain le plus important de la nouvelle génération essaie de vous tordre le cou, vous avez nettement le sentiment qu'il y a quelque chose de changé. » [20]

Durant les années vingt la *NRF*, comme nous l'avons vu, a été pour Mauriac le centre de cette vie littéraire qu'il admirait et dont il voulait faire partie. Et Gide, pour lui, incarnait *La Nouvelle Revue Française* :

« Ce qui comptait pour moi, c'était l'approbation de Jacques Rivière, de Ramon Fernandez, d'André Gide surtout. » [21]

« Ce qui a compté dans Gide, pour nous ses contemporains, c'est ce qu'il a incarné le mouvement de la *N.R.F.*, cette réaction contre une très basse littérature, contre ce qui n'était pas vraie littérature (...) Avec la passion de la jeunesse, dans un véritable état de grâce, j'ai marché "à fond" dans cette nouvelle direction – tout en sachant me tenir à distance, – vers les valeurs vraies, qui s'appelaient Claudel, Valéry, Gide... » [22]

La différence entre le cas Gide et le cas Sartre, c'est que là où Sartre allait influencer Mauriac et le faire aller dans sa direction à lui, Gide, en démontrant à Mauriac la situation équivoque dans laquelle son œuvre se situait, provoqua chez celui-ci un changement de cap d'une manière qu'il n'aurait pas du tout souhaitée. Dans la conférence de juin 1928, "La Responsabilité du romancier", Mauriac réagissait directement contre la lettre de Gide parue le même mois. Il citait Gide à plusieurs reprises :

« "La question morale pour l'artiste, a écrit A. Gide, n'est pas que l'idée qu'il manifeste soit morale et utile au plus grand nombre : la question est qu'il la manifeste bien". » [23]

« Flaubert n'ambitionnait aucune autre gloire que celle de démoralisateur. André Gide aujourd'hui ne renierait pas ce titre. » [24]

« A la lumière de ce texte de Bossuet, nous comprenons mieux ce que veut dire aujourd'hui un André Gide lorsqu'il affirme qu'aucune œuvre d'art ne se crée sans la collaboration du démon. » [25]

« Certes je suis loin de partager l'opinion de Gide lorsqu'il soutient qu'on ne fait pas de bonne littérature avec les beaux sentiments : on n'en fait pas de meilleure avec les mauvais. » [26]

Le titre même de la conférence démontre à lui seul le désarroi de Mauriac. De nouveau, il s'aperçoit de la "responsabilité" du romancier catholique, et de son dilemme :

« En vérité, les meilleurs d'entre nous sont pris entre deux feux. Ils tiennent les deux bouts de cette chaîne : d'une part, certitude que leur œuvre ne vaudra que si elle est désintéressée, que si elle n'altère pas le réel sous prétexte de pudeur et d'édification ; d'autre part, sentiment de leur responsabilité envers des lecteurs que, du reste, en dépit de leurs scrupules, ils ne laissent pas de souhaiter le plus nombreux possible. » [27]

Le roman n'est rien s'il n'est pas l'étude de l'homme et il perd toute raison d'exister s'il ne nous fait avancer dans le connaissance du cœur humain, dit Mauriac ; mais, là où, un an plus tôt, Mauriac avait vu un roman qui décrivait la nature humaine comme étant de soi un ouvrage religieux, que ce soit un roman de Colette, le roman de Proust ou une nouvelle de Morand, maintenant il a changé d'avis. Des écrivains profanes, bien qu'un chrétien puisse voir

135

dans leur œuvre le message de la "misère de l'homme sans Dieu", ont néanmoins, sans aucune "volonté à faire le mal", une capacité de "démoralisation", parce que, en croyant que "toute œuvre vraie, conforme au réel, ne peut qu'être bonne", ils "errent dans la mesure où ils ne tiennent pas compte du dogme de la chute (...) ils ne tiennent pas compte de ce qu'il y a de souillé, de corrompu dans l'homme ; de ce qu'il y a de virulent et de terriblement contagieux dans les plaies que la littérature nous découvre avec une croissante audace". [28]

Le romancier catholique se trouve donc pris entre la nécessité de peindre la réalité, et le besoin de prendre sa responsabilité en tant que chrétien. Vers la fin de la conférence, Mauriac eut une nouvelle profession de foi qui ouvrait la voie à des œuvres comme *Le Démon de la connaissance* et *Ce qui était perdu* :

« Si le romancier a une raison d'être au monde, c'est justement de mettre à jour, chez les êtres les plus nobles et les plus hauts, ce qui résiste à Dieu, ce qui se cache de mauvais, ce qui se dissimule ; et c'est d'éclairer, chez les êtres qui nous paraissent déchus, la secrète source de pureté. » [29]

Il est intéressant de noter que, en mai, c'est-à-dire un mois avant cette conférence, Mauriac avait fait paraître *Le Roman*, dans lequel le message de ses articles de 1927 (décrire la nature humaine, c'est écrire une œuvre religieuse, comme Proust, Colette, etc.) était repris. Ce mois de mai avait donc vu un grand changement dans les idées de Mauriac, changement qui, semble-t-il, a dû être inspiré par sa réaction à l'égard de la lettre de Gide. Bien sûr, dans la conférence de juin, il répète que des romanciers comme Proust et Colette, "par cela seulement qu'ils nous introduisent dans les replis les plus secrets des cœurs, soudain nous en découvrent la divine origine et la déchéance et le rachat". Mais maintenant son message est différent : "Du point de vue chrétien, voilà peut-être ce qui permet d'absoudre les romanciers dont parfois les hardiesses scandalisent"[30]. Le romancier chrétien, maintenant, voit ces auteurs de l'extérieur, et les juge. Le romancier chrétien, maintenant, *a des responsabilités*.

Quand le texte de cette conférence parut au chapitre V de *Dieu et Mammon* en 1929, ce passage sur Proust et Colette avait disparu, et le nouveau message devenait de ce fait même plus évident. Il faut noter deux choses ; d'abord, que ce texte de juin 1928 restait, à part cela, presque inchangé ; et que le reste de *Dieu et Mammon* allait traiter plutôt du dilemme de l'écrivain chrétien en général. Sur la question du romancier catholique, donc, son attitude était déjà fixée dès juin 1928.

Il y a, cependant, un passage dans le chapitre II de *Dieu et Mammon* qui ajoute quelque chose au débat sur le roman. Dans ce passage, Mauriac revient au dilemme du romancier "pris entre la vérité humaine et le devoir de faire le bien". Dans le manuscrit, écrit probablement peu de temps après la lettre de Gide, Mauriac dit :

« Très vite éclata, pour moi, le conflit entre le désintéressement de l'artiste et ce que j'appelais le sens de l'utilité des apôtres : antagonisme invincible et que je n'espère plus surmonter. »[31]

Entre 1928 et 1929, cependant, Mauriac changea ce texte d'une manière qui démontre qu'il avait cherché, et croyait avoir trouvé, une clef à ce dilemme qui avait semblé si insoluble. "Que je n'espère plus surmonter" devint dans *Dieu et Mammon* "que j'espère aujourd'hui surmonter"[32]. Malgré les difficultés,

Mauriac s'était résolu à continuer à écrire des romans – mais d'une manière différente, qui résoudrait le dilemme.

La différence entre le Mauriac de 1923-1927 (celui qui apparaît dans *Le Roman*), et celui qui se révèle maintenant dans *Dieu et Mammon*, est soulignée par un passage dans le chapitre I où il fait allusion à sa déclaration célèbre, prononcée dans une interview de 1923 : "Je suis romancier ; je suis catholique, c'est là qu'est le conflit" [33]. Il voit cette déclaration, maintenant, comme une "tentation", une aberration à laquelle le dilemme du romancier l'avait mené :

« Quelle tentation de dire alors, au hasard d'une interview : "Je ne suis pas ce qui s'appelle un romancier catholique..." » [34]

Les changements dans l'œuvre de Mauriac, à cette époque de 1928-1930, proviennent donc surtout de causes littéraires, ou religio-littéraires, plutôt que des résultats de l'inquiétude religieuse ou de la "conversion" qui eut lieu vers la fin de 1928. Mauriac s'est surtout rendu compte que la manière dont il avait essayé de résoudre le dilemme du romancier catholique, à partir de 1923-1924, ne tenait pas debout. Il avait d'abord essayé de ne tenir aucun compte des critiques catholiques qui l'avaient attaqué ; mais il s'était enfin rendu compte que les âmes de ces critiques étaient "non point timorées, comme je le croyais, mais délicates et sensibles à mon secret poison" [35]

Mais s'il s'était rendu compte du bien-fondé de quelques-uns de ses critiques catholiques, il avait fallu l'attaque d'un incroyant, d'un littéraire profane pour lequel il avait de l'admiration, pour qu'il s'adresse de nouveau à son dilemme. Le procédé selon lequel il pouvait écrire des romans dans lesquels une présence religieuse n'entrait pas explicitement ne pouvait plus servir ; il fallait "surmonter l'antagonisme" d'une autre manière, au lieu de le mettre de côté.

Le premier essai des nouveaux procédés, comme nous avons vu, fut *Le Démon de la connaissance*, en août 1928. Mais ce n'est qu'en 1930 qu'un nouveau roman allait paraître : *Ce qui était perdu*.

A première vue, le début de *Ce qui était perdu* ne se distingue pas beaucoup des romans de 1923-1928. Le cadre du monde parisien, les relations entre Irène de Blénauge et son mari Hervé, les suggestions indirectes quant à la sexualité d'Hervé, tout nous fait attendre un roman où la psychologie de l'individu, et des relations entre individus, sera traitée avec la subtilité dont Mauriac avait fait preuve dans les trois romans de cette période. La manière dont la question de l'inceste est abordée nous rappelle aussi des romans antérieurs : comme pour la question du lesbianisme dans *Le Fleuve de feu*, nous voyons d'abord le soupçon, chez quelqu'un qui observe les personnes en question ; puis la probabilité que cela n'existe pas ; puis le soupçon que cela a existé sans que les protagonistes s'en soient entièrement rendus compte. Comme pour Thérèse Desqueyroux, il y a "des campagnes et (...) des milieux où ces monstruosités sont inconnues même de celles et de ceux qui en sont atteints"[36]. L'auteur nous suggère néanmoins, d'une manière discrète, à travers sa description de la torture intérieure d'Alain, qu'Alain a été conscient d'un désir incestueux. Les techniques dont Mauriac s'est servi pour indiquer ce thème sont tout aussi subtiles que celles utilisées dans ses romans antérieurs.

Mais assez vite nous nous rendons compte que nous habitons un monde tout à fait différent de celui

139

de ces romans-là. Pour les questions ayant trait à la psychologie, il n'y a plus de suggestions, de possibilités. On est de retour dans le monde des certitudes ; surtout, la certitude de la grâce. Au centre de ce roman il y a la rencontre avec la grâce, pour Irène comme pour Alain.

Au moment de la mort d'Irène, l'incroyante, quand elle est toute seule et qu'elle va cesser d'exister, nous, les lecteurs, apprenons par le narrateur que la grâce la touche :

« Elle souffrait, mais non plus dans la chair. Elle pressentait qu'il existe peut-être une autre forme de renoncement, une autre nuit, une autre mort que cette nuit, que cette mort qu'elle a cherchée, qu'elle a voulue. A demi engloutie, elle ne pouvait remonter à la surface ; elle s'agriffait ; ses ongles se cassaient, ses coudes étaient saignantes. Elle ne pouvait plus faire la découverte, tomber à genoux, pleurer de joie. Elle ne pouvait plus rendre témoignage. Il faut qu'elle traverse jusqu'au bout ces ténèbres où elle s'est follement jetée. Mais glissant dans l'abîme, elle connaissait, elle voyait, elle appelait enfin cet amour par son nom, qui est au-dessus de tout nom. » [37]

Mauriac ressent néanmoins la nécessité que d'autres, et en particulier la comtesse de Blénauge, apprennent qu'Irène a été touchée par la grâce avant sa mort. Comment faire ? Par la création d'un miracle, le témoignage surnaturel d'un prêtre à qui la connaissance de cette vérité a été accordée :

« "Réjouissez-vous, ma fille."

Cette invitation à la joie retentit comme un coup de tonnerre sur la créature courbée.

"Il me semble... Peut-être m'avancé-je trop... mais non : il n'était pas besoin que vous assistiez cette mourante."

Bien que la voix parût assourdie, chaque syllabe était nettement détachée.

"Mon Père, vous ne m'avez donc pas comprise ?"

Dans sa stupeur, la pauvre femme oubliait de baisser le ton ; elle fut interrompue :

"Je ne puis que vous répéter, en tremblant, ce que le Maître m'inspire de vous faire entendre : "Elle était absente. Mais moi, j'étais là". » [38]

Sans la scène au chevet de la mourante qu'on nous a narrée, ces phrases auraient pu être ambiguës, puisqu'elles n'auraient peut-être révélé que l'imagination du prêtre, qui pourrait être faillible ; mais puisqu'on sait déjà qu'Irène a été touchée par la grâce, les paroles du prêtre deviennent certaines, et miraculeusement inspirées. Et il est important, pour les intentions de l'auteur, que tout soit ainsi.

Irène, nous dit le narrateur, "ne pouvait plus faire la découverte, tomber à genoux, pleurer de joie". C'est une description des effets de la grâce que nous avons déjà vus, dans le souvenir d'Alain au chapitre IV :

« Il ne répondit pas, songeant à cette chose qu'il n'oserait pour rien au monde avouer à Tota (...) Il se revoit, ce soir de lune. Tota en robe blanche était allée au bout de l'avenue et il l'entendait rire sur la route avec les enfants du métayer. Il regarda le cercle des collines qui fermait l'horizon : aucune issue. Il fit quelques pas dans l'herbe sèche jusqu'au pin parasol ; et là, sans qu'il l'eût prémédité – ah ! non, que Tota ne le sache jamais ! – il était tombé à genoux, il avait balbutié des paroles... » [39]

Il a pu, bien sûr, se tromper ; mais à travers tout le roman nous nous apercevons des effets de cette grâce. Alain est torturé par son désir secret pour sa sœur ; mais il ne succombera pas à ce désir, et au milieu de ses tortures il ressent une paix étrange. Il est, nous le découvrons, un être choisi dont les souffrances servent à la vocation :

« C'était affreux de n'être pas pareil aux autres (...) "C'est horrible..." se répétait-il sans conviction. Étrange sentiment de plénitude et de bonheur ! Il appuyait ses deux mains sur ses yeux, se répétait : "Qu'ai-je donc ?", remuait la tête comme un petit buffle qui sent l'aiguillon, regimbait sous ce joug inconnu. La Hume, son père, sa mère, Tota, Marcel, il remontait jusqu'à ces sources de son tourment, retrouvait enfin l'angoisse qu'il cherchait ; ses yeux se mouillaient, la vie était trop atroce... Mais pourquoi cette vie horrible n'altérait-elle pas la paix vivante de son cœur, ni cette confiance de l'enfant qui tient une main dans l'ombre ? »[40]

« D'ailleurs, cette joie ne lui était-elle familière ? Elle s'en irait sans qu'il le voulût, et ne reviendrait pas à son appel. Mais tout à coup, à l'instant où il l'attendrait le moins, elle serait là (...) C'était cela, c'était cette joie qui lui rendait fade tout ce dont les autres s'enivraient et mouraient (...) D'instinct, dans un geste de protestation, il pressa ses bras en croix sur sa poitrine, étreignit ce bonheur dont il ne connaissait pas le nom. »[41]

Enfin, vers la fin du roman, Alain demande à sa mère s'il avait été baptisé dans son enfance ; elle avoue que, malgré la peur de son mari, elle l'avait fait baptiser :

« "Tu ne m'en veux pas ?" »

Il cherchait une simple parole qui rassurât sa mère et qui, sans la troubler, l'avertît. Il lui dit donc à mi-voix, et comme s'il n'y attachait aucune importance, qu'au contraire, il lui était doux de savoir qu'il appartenait au Christ. Était-ce la première fois qu'Alain

142

prononçait ce nom à haute voix ? Jusqu'à son dernier souffle, il se souviendrait du tonnerre de cette unique syllabe dans le vieil omnibus cahoté sur une route de l'Entre-deux-mers, un soir. » [42]

A la fin du roman, Alain va partir : "Il ne savait encore où il irait ; Dieu le savait" [43]. Nous pouvons hasarder une conjecture quant à sa destination et l'auteur nous y invite d'une manière évidente : et quelques années plus tard, dans le roman *Les Anges noirs* (1935), nous retrouverons Alain, devenu un prêtre et une espèce de saint.

Déjà, dans *Ce qui était perdu*, Alain est décrit comme quelqu'un qui s'occupait du salut des autres et "traînait après lui une grappe humaine" [44]. S'il représente le bien, Hervé au contraire représente le mal, sans nuances. Il n'y a pas de justification psychologique pour ses actions (bien que, dans une scène avec sa mère, vers la fin, il y ait des restes d'une psychologie fondée sur les relations entre mère et fils), car le mal possède les gens de l'extérieur, et les dirige. Le seul remède à cette prédestination du mal se trouve dans la vocation des autres, qui souffrent pour expier les péchés des autres (comme nous le verrons, plus tard, dans *Les Anges noirs*). La seule possibilité du rachat, pour Hervé, vient des prières de sa mère, qui ont déjà servi pour sauver Irène ; car, dans un passage important qui, explicitement, fait le pendant aux obsessions coupables d'Hervé, sa mère prie pour le salut des deux :

« Elle aussi, comme tout à l'heure Hervé, voyait en esprit une rue, une cour, une maison en retrait, une porte au rez-de-chaussée... (...) Elle passa sous une porte cochère, traversa la cour endormie, et gravit quelques marches. Il était temps ; elle s'abat aux pieds de son Amour et ne se sent plus si faible : elle lui tend

143

à bout de bras ce fils et cette belle-fille, ce fils lépreux et cette fille aveugle. » [45]

La possession satanique reviendra à plusieurs reprises dans les personnages des romans de Mauriac des années trente. C'est un reniement des leçons de la psychologie moderne, en faveur du message séculaire de l'Église, celui de la bataille entre le bien et le mal dans le monde. Le bien chez Alain est en équilibre avec le mal chez Hervé, comme le bien et le mal s'équilibrent, par exemple, dans les pièces de Claudel.

Ce qui était perdu représente, donc, un retour en arrière vers un roman catholique traditionnel, où l'auteur, suivant les termes mêmes de Mauriac, "dirige par une rigueur inflexible les personnages de ses livres dans la voie qu'il leur a choisie" [46], et où les desseins de Dieu lui-même sont aussi bien connus, et aussi nets, que la psychologie des personnages. Le titre même du roman démontre les intentions édifiantes de l'auteur ; c'est une citation de la Bible (Saint Luc, XIX, 10) : "Car le Fils de l'homme est venu chercher et sauver ce qui était perdu". Cette citation paraît dans une variante non publiée de la dernière page du roman, dans le manuscrit, variante qui souligne encore plus la vocation d'Alain, trempée dans la réversibilité :

« Cette pensée ne le quitte plus que dans les ténèbres, il a été gardé, préservé du mal, que bien loin d'être ainsi placé au-dessus des autres, il a (*amassé ?*) une dette énorme et qu'il n'en sera quitte avant la dernière obole. Non, ce n'est pas pour sauver sa vie qu'il a été mis à part de toute éternité (...) Aussi loin qu'un pécheur s'égare, il lui est donné, s'il tombe sur les genoux et s'il lève la tête, de voir entre les (*deux mots illisibles*) la face pleine de sang du Fils de l'Homme venu d'abord pour chercher et pour sauver ce qui était perdu. » [47]

La variante va même plus loin que le roman ; mais il faut avouer que le roman publié va assez loin pour nous inquiéter. Dans ses excès, *Ce qui était perdu* porte plus d'inquiétudes que les romans qui l'ont précédé. C'est un roman raté, où Mauriac, en voulant réagir contre les méthodes qu'il avait utilisées dans ses romans "profanes", est allé trop loin dans la direction du roman catholique traditionnel, et s'est servi de techniques romanesques désuètes. Mauriac lui-même s'est aperçu, plus tard, de l'erreur qu'il avait commise. En 1951 il écrira :

« De tous mes romans, peut-être est-il celui qui me donne le plus de regrets (...) Écrit à l'époque de ma vie où j'étais le plus occupé de religion, *Ce qui était perdu* a souffert visiblement du désir d'édifier, joint à la peur de scandaliser. »[48]

En 1930, cependant, il défendait ce roman contre les critiques de ses amis et confrères, en répétant ses idées de *Dieu et Mammon* sur la "raison d'être" du romancier[49] :

« Je ne peins pas des êtres différents de ceux qu'invente Abel Hermant, par exemple (...) Mais je les éclaire différemment. Le tout est de savoir si nos actes ont une valeur, un retentissement – si la vie a une direction, un but, si dans chaque créature il y a une part de son être à *sauver*. Qu'est-ce que le bien, et pourquoi le mal est-il le mal ? »[50]

Mais les événements semblent démontrer que, peut-être à cause des critiques à l'égard de son roman, Mauriac s'est vite aperçu que, en réagissant contre ses romans de 1923-1928, il était allé beaucoup trop loin. Son prochain roman, *Le Nœud de vipères* (1932), dont il commença la composition en février 1931, allait être un roman assez subtil, d'un tout autre ordre ; et ses romans des années trente allaient être des

tentatives sérieuses de résoudre le dilemme du romancier catholique, pris entre l'ambiguïté du roman
moderne et la nécessité de "témoigner" ; dans ces
tentatives, il allait se servir de moyens qui allaient être
très différents de ceux des années vingt, mais qui
éviteraient le danger, si évident dans *Ce qui était
perdu*, de passer d'un extrême à l'autre.

VIII

REGARD SUR L'AVENIR

La fin de cette histoire est le commencement d'une autre. Après l'échec de *Ce qui était perdu*, Mauriac recommença sa carrière de romancier pendant les années trente, en trouvant de nouvelles méthodes par lesquelles il pouvait écrire des romans modernes sans perdre de vue sa "responsabilité" d'auteur catholique. En cela, il a réussi, en écrivant des romans qui ont eu, et qui ont toujours, un grand succès.

Il faut avouer néanmoins que, en comparaison avec ses romans des années vingt, ces œuvres ne réussissent pas toujours à convaincre le lecteur. Après *Ce qui était perdu*, il semble que Mauriac se soit décidé à réintégrer l'ambiguïté dans ses récits ; mais bien que la première expérience de cette intégration, *le Nœud de vipères* (1932), dépende d'une technique narrative qui aurait pu arriver au résultat désiré (un journal écrit à la première personne par un narrateur faillible), Mauriac y ressent si visiblement le désir de mener le lecteur là où il veut, que l'effet en est en partie perdu. Au lieu de conduire à une ambiguïté qui masque le message du roman (comme, quelques années plus tard, Bernanos allait le faire dans son *Journal d'un curé de campagne*), Mauriac nous montre la vérité derrière les erreurs du narrateur faillible de telle sorte que le "message" du roman est facile à résumer. Même le célèbre "blanc" sur la page du journal (de tels "blancs" seront chez Bernanos des moments de mystère et d'ambiguïté) ne nous laisse aucun doute : "cet amour dont je connais enfin le nom ador..."[1] Il faut dire que dans *Le Nœud de vipère*, le lecteur trouve une peinture très convaincante d'un personnage et d'une famille, qui a empoigné des générations de lecteurs. De ce point de vue, c'est un roman très réussi. Mais du point de vue de notre étude des techniques narratives du roman moderne, il faut avouer que dans ce roman le procédé pour produire de l'ambiguïté ne fait que masquer la certitude.

Il y a quand même une progression à travers les romans des années trente, ces romans qui, tout en retournant à quelques-unes des techniques du "roman catholique" (telle l'utilisation de la souffrance expiatoire comme thème central des *Anges noirs*), s'en servent avec beaucoup plus de subtilité, d'ambiguïté que les romans de la "première période". Mauriac commence à se servir aussi, à cette époque, de techniques qui doivent beaucoup à Bernanos, qu'il avait lu et admiré dès les années vingt ; techniques qui allient l'ambiguïté à la possibilité d'un "message" exprimé d'une manière très subtile.

L'influence de Bernanos alla même plus loin, et explique en partie la nouvelle simplicité des caractères dans les romans de Mauriac. Car, au lieu de la psychologie freudienne des années vingt, l'auteur rejette maintenant cette façon d'aborder le problème. On serait tenté de dire, en regardant par exemple la Thérèse Desqueyroux de *La Fin de la nuit*, que l'étude de la psychologie féminine, telle qu'on la voyait dans *Thérèse Desqueyroux*, n'existe plus.

148

La justification de ce changement est exprimée très clairement dans *Thérèse chez le docteur*. Dans cette nouvelle, Mauriac reprend l'idée exprimée par Bernanos dans *Sous le soleil de Satan*, dans la scène entre Mouchette et le docteur, où les théories de la psychologie moderne se révèlent insuffisantes pour exprimer les réalités de la grâce, ou de la possession démoniaque. Thérèse, dans une scène qui imite celle de Bernanos, l'exprime très clairement: "Vous faites semblant de vouloir guérir l'âme et vous ne croyez pas à l'âme (...) Psychiatre, ça signifie médecin de l'âme, et vous dites que l'âme n'existe pas." [2] "Croyez-vous au démon, docteur ? Croyez-vous que le mal soit quelqu'un ?" [3].

Ces paroles de Thérèse nous expliquent certains personnages des romans mauriaciens des années trente : Hervé de Blénauge dans *Ce qui était perdu*, Thérèse dans les nouvelles *Thérèse chez le docteur* et *Thérèse à l'hôtel* et dans *La Fin de la nuit*, Gradère dans *Les Anges noirs*, Landin dans *Les Chemins de la mer*. Ils sont (et nous le sommes tous) la proie de forces extérieures, de bien ou de mal. Dans leurs cas, ils sont "ouverts" au mal, au démon, bien que certains d'entre eux aient, aussi, conscience du bien.

Dans un passage très célèbre de *La Fin de la nuit*, Thérèse se voit comme ayant une "mission" du mal. Mais la question n'est pas si simple que cela, ni ici ni dans les autres romans de cette époque. Le message de Mauriac, là et ailleurs, est souvent communiqué d'une manière indirecte. Ici, la femme qui s'analyse ainsi est sur le point de sombrer dans la confusion mentale. Peu importe que le message ait déjà été souligné plusieurs fois avant cette crise névrotique de Thérèse ; le doute peut toujours exister.

Par cette méthode, et par d'autres, Mauriac, à

l'exemple de Bernanos, réussit quand même, dans une certaine mesure, à intégrer l'ambiguïté du roman moderne dans ses "romans catholiques" des années trente. Il n'en reste pas moins que sa riche peinture de la psychologie humaine, telle qu'on la voyait dans *Le Désert de l'amour*, dans *Thérèse Desqueyroux* et dans *Destins*, disparaît à cette époque, et nous laisse avec des personnages beaucoup plus simples, et dans lesquels les idées de l'auteur réapparaissent, pas aussi directement que dans les romans de jeunesse, mais avec insistance quand même. Le personnage de Thérèse est un exemple important. Elle a perdu les caractéristiques de la Thérèse de *Thérèse Desqueyroux*. Ses actes, maintenant et dans le passé, s'expliquent beaucoup plus clairement. Et ces explications n'ont rien à faire avec les suggestions qu'on trouve dans le roman original (y compris le côté "Bonifas", qui n'existe plus, Thérèse étant obsédée par son désir pour les hommes).

Il est impossible, dans le contexte de cet ouvrage, d'examiner à fond le Mauriac des années trente. Ce livre aura été en partie la préparation de cet autre travail. J'ai l'intention, dans un deuxième volume, de prolonger cette étude.

NOTES

I - INTRODUCTION

1. Malcolm Scott, *The Struggle for the soul of the French Novel* : *French Catholic and Realist Novelists, 1850-1970*, London, Macmillan, 1989.
2. Mauriac, *Le Roman*, 1928, Pléiade, II, 765

II - LE ROMAN CATHOLIQUE

1. Richard Griffiths, *Révolution à rebours : le renouveau catholique dans la littérature française 1870-1914*, Desclée de Brouwer 1971. Chapitre VIII, 'La souffrance expiatoire'.
2. Émile Baumann, *Les Douze Collines* (Paris, Grasset, 1929), p.14.
3. Émile Baumann, *L'Immolé* (1908), p.226.
4. Émile Baumann, *La Fosse aux lions* (1911), pp.13-14.
5. Adolphe Retté, *Le Règne de la Bête* (1908).
6. Ibid., p.223.
7. Ernest Psichari, Lettre au R.P. Barnabé Augier, 25 janvier 1914 (*Lettres du Centurion*, pp.290-1).
8. Voir Richard Griffiths, "Catholicism and Islam in Psichari and his contemporaries", *Literature and Society : Essays for R.J.North*, ed. C.A.Burns, Birmingham 1980, pp.89-101.
9. Ernest Psichari, Lettre à Charles Péguy, 4 janvier 1912 (*Lettres du Centurion*, p.153).

III - LES PREMIERS ROMANS DE MAURIAC

1 Frédéric Lefèvre, "Une Heure avec M. François Mauriac", *Nouvelles littéraires,* 26 mai 1923, pp.1-2. (Mauriac, *Les Paroles restent,*

ed K.Goesch, Paris, Grasset, 1985, p.70).

2. Jacques Petit, Notice pour *L'Enfant chargé de chaînes* (Mauriac, *Œuvres romanesques et théâtrales complètes I*, Paris, Gallimard (Pléiade), 1978, p.1003.

3. Mauriac, "Projet de préface pour la première édition" (*Pléiade*, I, 1010).

4. Malcolm Scott, *The Struggle for the Soul of the French Novel* (London, Macmillan, 1989), p.189.

5. *L'Enfant chargé de chaînes*, Pléiade, I, 41.

6. Mauriac, Préface au tome 1 des *Œuvres complètes*, 1950.

7. *La Robe prétexte*, Pléiade, I, 178.

8. Ibid., I, 179.

9. Ibid., I, 179.

10. *La Chair et le Sang*, Pléiade, I, 212.

11. Émile Baumann, *L'Immolé* (1908), pp.159-60.

12. *La Chair et le Sang*, Pléiade, I, 246.

13. Baumann, *L'Immolé*, pp.162, 172.

14. Ibid., pp.59-60.

15. *La Chair et le Sang*, Pléiade I, 200.

16. Ibid., I, 202.

17. Ibid., I, 240-1.

18. Pléiade, I, 1082, 1070.

19. *La Chair et le Sang*, Pléiade, I, 306.

20. Ibid., I, 292.

21. Ibid., I, 301.

22. Ibid., I, 293.

23. Ibid., I, 309.

24. Ibid., I, 307.

25. Ibid., I, 232.

26. Ibid., I, 322.

27. Ibid., I, 323.

28. Ibid., I, 323-4.

29. Ibid., I, 325-6.

30. Ibid., I, 280-1.

31. Ibid., I, 303.

32. Mauriac, lettre à Louis Brun, 30 novembre 1920. (*Nouvelles Lettres d'une vie*, Grasset & Fasquelle 1989, p. 82)

33. *Préséances*, Pléiade, I, 372.

34. Ibid., I, 345.

35. Y compris le fait que, comme Daniel Rovère, Augustin "accueillit la révélation charnelle de Schumann et de Beethoven" (*Préséances*, Pléiade, I, 344)

36. Ibid., I, 347.

37. Ibid., I, 352.

38. Ibid., I, 420.

39. Ibid., I, 420.

40. La médiocrité du clergé, et la supériorité de la douleur sur la joie, sont des thèmes importants de la littérature du renouveau catholique. Voir Richard Griffiths, *Révolution à rebours : le Renouveau Catholique dans la Littérature Française*, Desclée de Brouwer 1971.

41. *Préséances*, Pléiade, I, 430-1.

42. *Le Visiteur nocturne*, Pléiade, I, 440.

43. Ibid., I, 442.

44. Ibid., I, 444.

45. *La Paroisse morte*, Pléiade, I, 980.

46. Mauriac, Préface au tome X des *Œuvres complètes*, 1952.

IV - UN FAUX DÉPART : 1921-1922

1. *La Rencontre avec Barrès* (Paris, La Table Ronde, 1945).

2. *Mémoires intérieurs* (Paris, Flammarion, 1959), p.185. Pour les relations de Mauriac et de la NRF, voir l'article de John Flower, "Mauriac's contributions to the *Nouvelle Revue Française*" dans *François Mauriac : Visions and Reappraisals*, ed Flower et Swift (Oxford, Berg, 1989), pp.117-132.

3. *Le Roman*, Pléiade, II, 758-9.

4. Ibid., II, 762-3.

5. Ibid., II, 765.

6. Mauriac, *Bloc-notes V*, p.283.

7. Mauriac, Préface au tome 1 des *Œuvres complètes*, 1950.

8. Ibid.

9. *Le Baiser au lépreux*, Pléiade I, 449-51.

10. Ibid., I, 459.

11. Voir p. 90-94. Une des techniques les plus intéressantes pratiquées par le Mauriac des grands romans de sa maturité sera l'utilisation des lectures du personnage pour expliquer ses actions. Cette utilisation sera subtile, et consistera à suggérer, à travers des mentions apparemment fortuites de ces lectures, le message voulu. C'est le lecteur qui fournira les rapports ; il n'y a aucun sens, comme dans *Le Baiser au lépreux*, d'une intervention directe de l'auteur.

12. *Le Baiser au lépreux*, Pléiade, I, 478.

13. Ibid., I, 480.

14. Frédéric Lefèvre, "Une heure avec M. François Mauriac", *Les Nouvelles littéraires*, 26 mai 1923, pp.1-2. (Mauriac, *Les Paroles restent*, ed. K.Goesch, Paris, Grasset, 1985, p.70)

15. *Le Baiser au lépreux*, Pléiade I, 492.

16. Ibid., I, 487.

17. Frédéric Lefèvre, op. cit.

18. Ibid.

19. *Le Fleuve de feu*, Pléiade, I, 565.

20. Ibid., I, 567.

21. Ibid., I, 573.

22. Ibid., p.1215.

23. Lettre de Blanche à Mauriac, 10 décembre 1992. (*François Mauriac,Jacques-Émile Blanche : Correspondance 1916-1942*, ed. Georges-Paul Collet (Paris : Grasset, 1976), p.100.

24. Lefèvre, op.cit.

25. *Le Fleuve de feu*, Pléiade, I, 578.

26. Lefèvre, op.cit.

27. *Le Fleuve de feu*, Pléiade, I, 510-11.

28. Ibid., I, 515.

29. Ibid., I, 525.

30. Ibid., I, 527.

31. Ibid., I, 535-6.

32. Jacques Petit, note sur ce passage, Pléiade I, 1198.

33. *Le Fleuve de feu*, Pléiade, I, 569.

34. Ibid., I, 575-6.

35. Ibid., I, 579.

36. Ibid., I, 578-9.

37. "Le village ne savait pas que c'était dimanche. La campagne, elle-même, ne le savait pas. Sur les seuils, les femme dépeignées suivaient d'un œil dur ces belles dames qui vont à la messe. Dans les estaminets, les hommes commençaient à boire l'eau de feu (...) Le prêtre monta à l'autel devant quatre familles bourgeoises cantonnées dans leurs bancs pareils à des compartiments de troisième classe (...) le curé (...) aimait peu s'attarder dans cette paroisse morte" (*La Paroisse morte*, Pléiade, I, 979).

38. Lettre de François Mauriac à sa femme, 9 février 1922. (Jean Lacouture, *François Mauriac* (Paris, Seuil, 1980), p.165.

V - LE TOURNANT : 1923-1924

1. Frédéric Lefèvre, "Une heure avec M. François Mauriac", *Les Nouvelles littéraires*, 26 mai 1923, pp.1-2. (François Mauriac, *Les Paroles restent*, Paris, Grasset, 1985, p.69)

2. Ibid.

3. Ibid.

4. *Le Roman*, Pléiade, II, 771.

5. Ibid., II, 757.

6. Ibid., II, 756.

7. Ibid., II, 771.

8. Mauriac, "Chronique dramatique : Reprise de *Chéri* au Théâtre Daunou", *Nouvelle Revue Française*, 1er mai 1925, p.927.

9. Ibid., I, 631.

10. Ibid., I, 644.

11. *Le Mal*, I, 684.

12. Voir p. 29.

13. Mauriac, Lettre à Louis Brun, 30 novembre 1920 (*Nouvelles lettres d'une vie*, Grasset et Fasquelle 1989, p.82.

14. Mauriac, Lettre à Georges Duhamel, (1921) (Ibid., p.84).

15. Jacques Petit, Notice sur *Le Mal*, Pléiade, I, 1228.

16. Mauriac, *Journal d'un homme de trente ans*, in *Œuvres complètes*, tome IV, p.271.

17. Mauriac, Préface au tome VI des *Œuvres complètes*, 1951.

18. Mauriac, Lettre à Louis Brun, 15 mai 1924 (*Nouvelles lettres d'une vie*, Grasset et Fasquelle 1989, p.95).

19. Mauriac, Lettre à Bernard Grasset (juin 1924) (Ibid., p.96.

20. Mauriac, Lettre à son frère Pierre (Lacouture, op.cit., p.174). C'est Mauriac qui souligne.

21. Jacques Petit, Pléiade I, 1231.

22. *Le Mal*, Pléiade, I, 652.

23. Ibid., I, 1253.

24. Ibid., I, 653.

25. "Il noua ses bras au cou de Léa et la courba vers lui" Colette, *Chéri*, dans *Œuvres*, ed. Claude Pichois (Paris, Gallimard Pléiade, 1986) II, 737.

26. Ibid., II, 795, 797, 807, 818, 821, 822, 824.

27. *Le Mal*, Pléiade I, 661.

28. Pléiade, I, 1264.

29. « "Verrai-je Camille avant mon départ ? Me sera-t-il donné de l'embrasser ?" Ce souci nouveau m'occupait tout entier. Je pénétrai dans la chambre de grand-mère avec le secret espoir qu'elle ne me laisserait pas entreprendre un si grand voyage sans le viatique de ce baiser. » (*La Robe prétexte*, 1914) Ce passage se trouve dans le chapitre XXVI, publié dans la *Revue de Paris* en octobre 1913, époque où Mauriac venait de lire *Du côté de chez Swann*, où le narrateur doit monter au lit sans embrasser sa mère, "partir sans viatique".

30. cf. le commencement du chapitre VI de la première partie de *Préséances*.

31. Pour un examen plus détaillé des techniques de ce romancier, je signale l'introduction de mon édition du *Diable au corps* (Oxford : Blackwell, 1983).

32. François Mauriac, "Le Diable au corps de Raymond Radiguet", *Les Nouvelles littéraires*, 24 mars 1923.

33. Stendhal, *Le Rouge et le noir*, I, 15.

34. *Le Diable au corps*, ed. cit., pp.8-10.

35. *Le Désert de l'amour*, Pléiade I, 766.

36. Ibid., I, 759.

37. Ibid., I, 765.

38. *Le Diable au corps*, ed. cit., p.50.

39. Ibid., p.50.

40. *Le Désert de l'amour*, Pléiade I, 815.

41. Ibid., I, 812.

42. *Le Diable au corps,* ed.cit., pp.89-90.

43. *Le Désert de l'amour*, Pléiade I, 805.

44. Ibid., I, 809-810.

45. Ibid., I, 796.

46. Ibid., I, 821.

47. Ibid., I, 768.

48. Ibid., I, 769.

49. Voir Griffiths, ""Intertextualité dans les romans de Mauriac : de l'attendu à l'inattendu", *Cahiers de Malagar* VIII (1994), 33-4.

50. *La Robe prétexte*, Pléiade, I, 130.

51. Voir p. 51.

52. Voir p. 81.

53. *Le Désert de l'amour*, Pléiade I, 743.

54. Ibid., I, 753.

55. Ibid., I, 752.

56. Ibid., I, 796.

57. Ibid., I, 797.

58. Ibid., I, 800.

59. Ibid., I, 812.

60. Ibid., I, 817.

61. Ibid., I, 800.

62. Ibid., I, 801.

63. Ibid., I, 768.

64. Ibid., I, 786.

65. Ibid., I, 777.

66. *Le Fleuve de feu*, Pléiade I, 518.

67. *Le Désert de l'amour*, Pléiade I, 774-5.

68. Ibid., I, 776.

69. Ibid., I, 837.

70. Ibid., I, 806.

71. Ibid., I, 794.

72. Ibid., I, 806.

73. Ibid., I, 811.

74. Mauriac, *Mémoires intérieurs*, Pléiade 1990, p.547.

75. *Le Désert de l'amour*, Pléiade I, 828.

76. Ibid., I, 861.

77. M. Scott, *The Struggle for the Soul of the French Novel*, p.189.

78. Mauriac, Lettre à Louis Brun, 28 janvier 1924 (*Nouvelles lettres d'une vie*, p.90). *Lewis et Irène*, de Paul Morand, est paru également chez Grasset, en 1924

UN ROMAN MODERNE : THÉRÈSE DESQUEYROUX

1. *Thérèse Desqueyroux*, Pléiade II, 26.

2. Ibid., II, 39.

3. Ibid., II, 82.

4. Ibid., II, 76.

5. Ibid., II, 38.

6. Ibid., II, 22-3.

7. Ibid., II, 23.

8. Ibid., II, 23.

9. Ibid., II, 26.

10. Ibid., II, 26.

11. Ibid., II, 29.

12. Ibid., II, 23.

13. Ibid., II, 27-8.

14. Ibid., II, 28.

15. Ibid., II, 46-7.

16. Ibid., II, 63.

17. Ibid., II, 63.

18. Ibid., II, 34.

19. Ibid., II, 35.

20. Ibid., II, 31.

21. Ibid., II, 37.

22. Ibid., II, 70.

23. Ibid., II, 71. C'est moi qui souligne.

24. Ibid., II, 72.

25. Ibid., II, 74.

26. Ibid., II, 79.

27. Ibid., II, 82.

28. Ibid., II, 101.

29. Ibid., II, 102.

30. Ibid., II, 103.

31. Ibid., II, 84.

32. Malcolm Scott (*op.cit.*, p. 194-5), parle d'une transition du point

de vue de Thérèse à celui du narrateur ; mais cette opinion se fonde sur une version du texte ("S'Il existe (...) puisqu'il existe") que je ne peux trouver ni dans le texte définitif du roman, ni dans les variantes.

33. *La Robe prétexte*, Pléiade I, 179.

34. *Thérèse Desqueyroux*, Pléiade II, 85.

35. Ibid., II, 17.

36. *Conscience, instinct divin*, Pléiade II, 3. Ce texte fut publié dans la *Revue nouvelle* le 1er mars 1927.

37. Ibid., II, 5.

38. Ibid., II, 6.

39. "Ce sera l'honneur de M. Édouard Bourdet d'avoir mis, dans *La Prisonnière*, sa science du théâtre au service du vrai".... "Voici l'histoire de deux hommes dont c'est le malheur d'aimer une de ces femmes qui n'aiment pas les hommes : situation non point rare ni exceptionnelle, mais seulement cachée, inavouée, quoique commune" Mauriac, "Spectacles : *La Prisonnière* de M. Édouard Bourdet" , *Nouvelle Revue Française*, 1er mai 1926, p. 627.

40. Mauriac, Lettre à Henri de Régnier, 30 mars 1927 (*Nouvelles lettres d'une vie*, Grasset & Fasquelle 1989, p.113).

41. Douglas Alden, *Jacques de Lacretelle ; an Intellectual Itinerary*, Rutgers U.P., New Brunswick, New Jersey 1958, p.86.

42. Voir Toby Garfitt, *Thérèse Desqueyroux*, Londres, Grant & Cutler, 1991, p. 16 : 'Critics have not surprisingly interpreted the attachment as at least potentially a homosexual one, and Georges Franju has been criticized for overemphasising that aspect in his film (Max Milner, "Du roman au cinéma, commentaires sur l'adaptation cinématographique de *Thérèse Desqueyroux* par Georges Franju", *Cahiers François Mauriac* 2 (1975), 148-159) (...) That may be part of it, but on another level Anne and Thérèse can be seen as two complementary facets of the same character."

VII - RETOUR EN ARRIERE : 1928-1930

1. Mauriac, *Bloc-notes III,* 461. Voir aussi Lettre de Mauriac à Bourdet, 24 mars 1927 (trois jours avant la parution du premier épisode du roman dans *Les Annales*) : "Pour moi, j'achève à la vapeur mon roman des *Annales* ; je suis assez curieux du résultat de ce travail forcé" (*Nouvelles lettres d'une vie*, Grasset 1989, p.112).

2. Mauriac, Préface au tome X des *Œuvres complètes*, Pléiade I, 989.

3. Mauriac, 'Le meilleur témoignage', *Les Nouvelles littéraires*, 8 janvier 1927, repris dans *Le Roman*, 1928.

4. Mauriac, "Le Roman d'aujourd'hui", conférence à la Société des Conférences, 4 février 1927 ; publiée dans *La Revue hebdomadaire*

le 17 février 1927 ; incorporée dans *Le Roman*, 1928.

    5. Mauriac, *La Vie de Jean Racine*, dans *La Revue universelle*, décembre 1927. Publié en librairie, mars 1928.

    6. Mauriac, Préface, *Œuvres complètes*, tome IX.

    7. Mauriac, Préface, *Œuvres complètes*, tome X.

    8. Mauriac, *Destins*, Pléiade II, 202.

    9. Mauriac, *Bloc-notes IV*, 70.

    10. Ibid., II, 203.

    11. Scott, op. cit., p.198.

    12. Préface de 1958 à *Dieu et Mammon*, Pléiade II, 1341.

    13. Cité par Jacques Petit, Pléiade I, CIII.

    14. *Le Démon de la connaissance*, Pléiade II, 241.

    15. Ibid., II, 240.

    16. Ibid., II, 242.

    17. Jacques Petit, dans l'édition de la Pléiade, parle dans sa Notice d'une "conférence de juin 1928 sur la responsabilité du romancier qui n'était pas une réponse à Gide, mais aux reproches des catholiques"(II, 1337). Mais les références multiples à Gide (dont au moins une cite textuellement de la lettre de Gide) semblent démontrer que c'est en partie cette lettre qui a inspiré la teneur de la conférence de Mauriac.

    18. Gide, Lettre ouverte à François Mauriac, 7 mai 1928 (publié dans la *Nouvelle Revue Française*, juin 1928). Pléiade, II, 832-3.

    19. Paul Souday, *Le Temps*, 5 avril 1928, cité dans ; Jean Touzot, "Mauriac entre la chaise et le prie-dieu", *Cahiers de Malagar* VI (été 1992), p.63.

    20. Interview avec J.-J.Brochier, "François Mauriac écrivain et journaliste", *Magazine Littéraire*, No. 22, octobre 1968, pp.6-13. (*Les Paroles restent*, p.85).

    21. *Mémoires intérieurs*, Paris, Flammarion, 1959, p.185.

    22. Interview avec Yves Dentan, 'Les quatre-vingts ans de M. François Mauriac : "Je suis comme un voyageur qui depuis longtemps est arrivé dans un grand désert glacé"', *Le Monde*, 10-11 octobre 1965, p. 17. (*Les Paroles restent*, p.146.

    23. Repris dans *Dieu et Mammon*, Pléiade II, 805.

    24. Ibid., II, 810.

    25. Ibid., II, 813-4.

    26. Ibid., II, 817.

    27. Ibid., II, 807.

    28. Ibid., II, 810-11.

    29. Ibid., II, 817.

    30. Ibid., II, 1356.

    31. Ibid., II, 1347.

32. Ibid., II, 790.
33. Frédéric Lefèvre, "Une heure avec M. François Mauriac", *Les nouvelles littéraires*, 26 mai 1923.
34. *Dieu et Mammon*, Pléiade, II, 780.
35. Ibid., II, 789-90.
36. Mauriac, Lettre à Henri de Régnier, 30 mars 1927 (*Nouvelles lettres d'une vie*, Grasset et Fasquelle 1989, p.113).
37. *Ce qui était perdu*, Pléiade II, 340-1.
38. Ibid., II, 350.
39. Ibid., II, 294.
40. Ibid., II, 313.
41. Ibid., II, 318.
42. Ibid., II, 377.
43. Ibid., II, 379.
44. Ibid., II, 376.
45. Ibid., II, 305.
46. Mauriac, *Le Roman*, Pléiade II, 767.
47. Pléiade, II, 1159.
48. Préface au Tome III des *Œuvres complètes*, 1951 (Pléiade II, 883).
49. Voir p. 136
50. Mauriac, Lettre à Henri de Régnier, 31 juillet 1930 (*Nouvelles lettres d'une vie*, Grasset et Fasquelle 1989, p.135).

VIII - REGARD SUR L'AVENIR

1. *Nœud de vipères*, Pléiade II, 526.
2. Thérèse chez le docteur, Pléiade III, 17
3. Ibid., III, 15.

BIBLIOGRAPHIE

Cette bibliographie chronologique recense les publications de François Mauriac jusqu'en 1930, les œuvres d'auteurs contemporains cités dans cette étude, enfin des ouvrages généraux sur François Mauriac et le roman.

1. Chronologie des œuvres de Mauriac jusqu'en 1930 :

Titre	Publication en revue	Édition
L'Enfant chargé de chaînes, roman	*Mercure de France*, juin-juillet 1912.	Grasset, mai 1913.
La Robe prétexte, roman.	("Le Cousin de Paris" *Revue hebdomadaire*, nov. 1911) ("Camille", *Revue de Paris*, oct. 1912) ("Le Paradis", *Revue hebdomadaire*, mai 1913) ("La Robe prétexte", *Revue de Paris*, oct. 1913) ("Tous les royaumes du monde", *Revue hebdomadaire*, avril 1914)	Grasset, mai 1914.

La Chair et le Sang, roman.	*Écrits nouveaux*, août-décembre 1919.	Émile-Paul, oct. 1920.
Préséances, roman.	("Préséances", *Écrits nouveaux*, mars 1919) ("Les Nouvelles Préséances", *Écrits nouveaux*, oct. 1920)	Émile-Paul, juillet 1921.
Le Visiteur nocturne, nouvelle.	*Revue des jeunes*, mai 1920.	
La Paroisse morte, nouvelle.	*Revue des jeunes*, janvier 1921.	
Le Baiser au lépreux, roman.		Grasset, début 1922.
Le Fleuve de feu, roman.	*Nouvelle Revue française*, dec. 1922-mars 1923.	Grasset, mai 1923.
Genitrix, roman.		Grasset, déc. 1923.
Le Mal, roman.	*Demain*, avril 1924.	("Fabien", Au Sans Pareil, 1926.)
Le Désert de l'amour, roman.	*Revue de Paris*, nov.1924-jan.1925)	Grasset, Fév. 1925.
"Le Jeune Homme", essai.		Hachette, 1926.
Un homme de lettres, nouvelle.	*Nouvelle Revue française*, juillet 1926.	Lapina, 1926.
Coups de couteau, nouvelle.	*Revue des Deux-Mondes*, oct. 1926	Trémois, 1926.

Thérèse Desqueyroux, roman.	*Revue de Paris*, nov.1926-jan.1927	Grasset, fév.1927.
"Le meilleur témoignage", essai.	*Les Nouvelles Littéraires,* jan.1927	
"le roman d'aujourd'hui", conférence	*Revue hebdomadaire,* fév. 1927	"Le Roman" voir mai 1928
"Conscience, instinct divin" (premier état de *Thérèse Desqueyroux)*	*Revue nouvelle,* mars 1927	Émile-Paul, 1927.
Destins, roman.	*Les Annales,* mars-mai 1927	Grasset, fév.1928.
"Vie de Jean Racine"	*Revue universelle,* déc 1927-jan.1928	Plon, mars 1928.
"Le Roman", essai.		L'Artisan du livre, mai 1928.
"La responsabilité du romancier", conférence.	*Revue hebdomadaire,* juin 1928.	Voir "Dieu et Mammon", 1929.
Le Démon de la connaissance, nouvelle.	*Nouvelle Revue française,* juillet-août 1928.	Trémois, 1928.
"Souffrances du chrétien", essai.	*Nouvelle Revue française,* oct.1928.	
La Nuit du bourreau de soi-même, nouvelle. (Insomnie)		Flammarion, 1929.
"Dieu et Mammon", essai.		Capitole, 1929.
"Bonheur du chrétien", essai.	*Nouvelle Revue française,* avril 1929.	
Ce qui était perdu, roman.	*Revue de Paris,* avril-juin 1930	Grasset, 1930.

2. QUELQUES COMPTES RENDUS DE FRANÇOIS MAURIAC IMPORTANTS POUR CETTE ÉTUDE.

Compte rendu	Revue
"Les digressions de M. Paul Valéry"	*Revue des jeunes*, 25 avril 1920
"*Une soirée de brouillard* de Proust, avec avant-propos sur l'art de Marcel Proust"	*Revue hebdomadaire*, 5 mars 1921
"Saül"	*Revue hebdomadaire*, 24 juin 1922
"*Silbermann*, par Jacques de Lacretelle"	*N.R.F.*, 1er déc.1922
"Sur la tombe de Marcel Proust"	*Revue hebdomadaire*, 2 déc. 1922
"*Le Diable au corps*, de Raymond Radiguet"	*Les Nouvelles Littéraires*, 24 mars 1923
"*La Prisonnière*, par Marcel Proust"	*N.R.F.*, 1 avril 1924
"Raymond Radiguet et *Le Bal du comte d'Orgel*"	*Revue hebdomadaire*, 19 juillet 1924
"Chroniques dramatiques : Reprise de *Chéri* au Théâtre Daunou"	*N.R.F.*, 1 mai 1925
"Raymond Radiguet"	*La Liberté*, 9 juillet 1925
"*Saint Paul*, d'Émile Baumann"	*Revue hebdomadaire*, septembre 1925
"Les Spectacles : *La Prisonnière*, par Édouard Bourdet"	*N.R.F.*, 1 mai 1926
"*Le Maladère*, de Bernard Barbey"	*Les Nouvelles Littéraires*, 27 nov. 1926
"*Adrienne Mesurat*, par Julien Green"	*N.R.F.*, 1 juillet 1927

3. ŒUVRES COMPLETES DE MAURIAC.

Œuvres complètes, Arthème Fayard, 1950-1952 (10 vol.).

Œuvres romanesques et théâtrales complètes, NRF Gallimard (Pléiade), 1978-1985 (4 vol.).

4. ŒUVRES D'AUTEURS CONTEMPORAINS DE MAURIAC.

Louis Artus :   *La Maison du fou*, 1918.
                         La Maison du sage, 1920.
                         La Voix de la vigne, 1922.

Maurice Barrès :   *Sous l'œil de barbares*, 1888
                         Un Homme libre, 1889.
                         Le Jardin de Bérénice, 1891.

Émile Baumann :   *L'Immolé*, 1908.
                         La Fosse aux lions, 1911.
                         Le Baptême de Pauline Ardel, 1913.
                         Job le Prédestiné, 1922.
                         Les Douze Collines, 1929.

Georges Bernanos :   *Sous le soleil de Satan*, 1926.
                         La Joie, 1929.
                         L'Imposture, 1931.

Édouard Bourdet :   *La Prisonnière*, 1926.

Paul Bourget :   *Le Sens de la mort*, 1915.

Paul Claudel :   *L'Annonce faite à Marie*, 1912.

Colette :   *Chéri*, 1920.
                         Le Blé en herbe, 1923.
                         La Fin de Chéri, 1926.

André Gide :   *La Porte étroite*, 1909.
                         Les Faux-monnayeurs, 1926.

Joris-Karl Huysmans :   *En route*, 1895.

Jacques de Lacretelle :   *Silbermann*, 1922.
                          La Bonifas, 1925.

André Lafon :   *La Maison sur la rive*, 1914.

Pierre Louÿs :   *Aphrodite*, 1896.

Paul Morand :   *Ouvert la nuit*, 1922.
                          Fermé la nuit, 1923.
                          Lewis et Irène, 1924.

Marcel Proust :   *Du côté de chez Swann*, 1913.
                          A l'ombre des jeunes filles en fleurs, 1919.
                          Le Côté de Guermantes, 1921.
                          Sodome et Gomorrhe, 1922.
                          La Prisonnière, 1923.
                          Albertine disparue, 1925.
                          Le Temps retrouvé, 1927.

Ernest Psichari :   *Le Voyage du Centurion*, 1915.
                          Lettres du Centurion,

Raymond Radiguet :   *Le Diable au corps*, 1923.
                          Le Bal du comte d'Orgel, 1924.

Adolphe Retté :   *Le Règne de la Bête*, 1908.

5. Ouvrages sur Mauriac et sur le roman,
correspondances, etc.

Douglas Alden : *Jacques de Lacretelle : an Intellectual Itinerary*,
Rutgers 1958.

Marie-Françoise Canérot : *Mauriac après 1930 : le roman dénoué*,
SEDES 1985.

Correspondance André Gide-François Mauriac, 1912-1950,
Cahiers André Gide 2, 1971.

Correspondance François Mauriac et Jacques Rivière, 1911-1925,
1988.

168

Correspondance François Mauriac-Jacques-Émile Blanche, 1916-1942, 1976.

John Flower : *Intention and Achievement : an essay on the novels of François Mauriac,* OUP 1969.

John Flower and Bernard Swift (eds.) : *François Mauriac : Visions and Reappraisals,* Berg 1989.

Toby Garfitt : *Mauriac : Thérèse Desqueyroux,* Grant & Cutler 1991.

Keith Goesch : *François Mauriac : Essai de Bibliographie Chronologique 1908-1960,* Nizet 1965.

André Joubert : *François Mauriac et Thérèse Desqueyroux,* Nizet 1982.

Jean Lacouture : *François Mauriac,* Seuil 1980.

François Mauriac : *Lettres d'une vie (1904-1969), Correspondance recueillie et présentée par Caroline Mauriac,* Grasset 1981.

François Mauriac : *Nouvelles lettres d'une vie (1906-1970), Correspondance recueillie, présentée et annotée par Caroline Mauriac,* Grasset 1989.

François Mauriac : *Les Paroles restent : Interviews recueillies et présentées par Keith Goesch,* Grasset 1985.

François Mauriac : *Paroles perdues et retrouvées (ed. Keith Goesch),* Grasset 1986.

François Mauriac, Cahiers de l'Herne 1985, ed. Jean Touzot.

Jacques Monférier : *François Mauriac - Du "Nœud de Vipères" à "La Pharisienne",* Slatkine, 1985.

Malcolm Scott : *The Struggle for the Soul of the French Novel : French Catholic and Realist Novelists, 1850-1970,* Macmillan 1989.

Philip Stratford : *Faith and fiction : creative process in Greene and Mauriac,* 1964.

Jean Touzot : *Mauriac avant Mauriac 1913-1922*, 1977.

Jean Touzot : *François Mauriac : une configuration romanesque*,
Minard 1985.

De nombreux articles importants sur Mauriac sont parus dans :

    Cahiers François Mauriac
    Cahiers de Malagar
    Nouveaux Cahiers François Mauriac.

TABLE

Ouvrage réalisé
par les Ateliers Graphiques
de l'Ardoisière
à Bedous
Reproduit et achevé d'imprimer
le 24 mai 1996
par l'Imprimerie Floch
à Mayenne
pour le compte des éditions
L'Esprit du Temps
B.P. 107 - 33491 Bordeaux-le-Bouscat

Dépôt légal : juin 1996
N° d'éd. 61 - N° d'imp. 39649